The PUG WHO BIT NAPOLEON

ナポレオンを咬《か》んだパグ、死を嘆く猫

絵で見る人と動物の歴史物語

ミミ・マシューズ　川副智子 訳

原書房

THE PUG WHO BIT NAPOLEON:
Animal Tales of the 18th and 19th Centuries
by Mimi Matthews

我が人生のもっとも幸せでもっとも美しい部分のシンボル、ジョンに捧ぐ

目次

謝辞

調査と執筆は往々にして孤独な努力を求められるが、本書の初稿から刊行にいたるまでの道のりでは、友人や家族や熟達した仕事仲間からのあふれんばかりの支援と激励に恵まれてきた。ここに心から謝意を伝えたい。

ペン・アンド・スウォード・ブックス社のすばらしいチームにも感謝している。歴史に登場する動物の物語という発想がとてもいいと言ってくれたコミッショニング・エディターのジョン・ライト、豊かな感性と細やかな配慮で本書と向き合ってくれたコピー・エディターのキャロル・トロー、ひっきりなしの質問メールに忍耐強くこたえてくれた制作アシスタントのローレン・バートン、こんなに美しいブックカバーをつくってくれたデザイナーのドミニク・アレン、ペン・アンド・スウォード社で執筆する仲間であり、初期段階から精神的支援をしてくれた作家のサラ・マーデン。

調査に協力してくださった数多くの美術館、大学、アーカイヴにも深く感謝申しあげる。とりわけ、英国図書館、英国新聞アーカイヴ、イェール大学ルイス・ウォルポール図書館、イェール大学英国美術研究センター、ブリンマー大学図書館、ペンシルベニア美術アカデミー、スコットランド国立美術館、ウェストヨークシャーのブロンテ博物館、そして、ノッティンガムシャーのニューステッド・アビーでバイロン卿コレクションを管理されている方々のご厚意に心よりお礼申しあげる。

本企画に貢献したペットたちにも、お礼を言わなければならない。いまも生きている子にも、ずっとまえに逝ってしまった子にも。犬のアッシャーと二匹の猫——サファイヤとマジパン——はたいてい、調べものをしたり原稿を書いたりする著者のそばにいて、応援してくれた。オーソン、アヴァ、シークイン、クレオパトラ、ジュード、そして最愛のジョン。彼らの魂もそこにいた。馬のセンテレオは、文字どおりの意味で、仕事をしている著者のそばにいるわけではなかったけれど、彼を思い浮かべることは多かった。とくにホイッスルジャケットの章を書いているときには。

最後に両親にも感謝の気持ちを伝えたい。すばらしい母親であるヴィッキー、生きとし生けるものを愛し敬う人間に育ててくれてありがとう。あなたの正義と公正と思いやりの精神が、わたしの人生の原点になっています。それから、すてきすぎる父親のユージーン、いつも味方でいてくれてありがとう。娘として、あなた以上の父親は望めないでしょう。

ミミ・マシューズ

二〇一七年二月

はじめに

長い歴史のなかで人は動物と独特の関係を築いてきた。犬は家畜の群れを守り、店の見張りをし、馬やロバは荷車や馬車をひき、猫はわたしたちの家庭と職場をネズミの害から守ってきた。だが、十八、十九世紀にはいると、動物は日々の暮らしの苦労をともにするパートナー以上の存在となった。彼ら自身のユニークな生活と際立つ個性をもった、わたしたちの仲間に、友人に、そして家族の一員になったのだ。庶民にとって動物は尽きせぬ興味と慰みの源でもあった。

十八、十九世紀の書籍、雑誌、手紙、日記、新聞には、雄々しい犬、恐れを知らぬ猫、勇気ある馬、賢いオウムや猿がひんぱんに登場した。そこで紹介される動物のユーモラスな話が、現代のインターネット上で拡散される動物画像や動画に匹敵するほどの娯楽を提供することもあれば、あまりの恐ろしさに胸を痛めた市民が、虐待や飼育放棄を受けた動物にかわって抗議活動を始めることもあった。しかし、なにより大事なのは、十八、十九世紀の動物の話は人の心を打ち、ふるい立たせ、結びつけたということだ。

動物への愛情は社会や文化のあらゆる境界をこえるものだった。王や女王にお気に入りのペットがいたように、身分の低い人々にもかわいがる動物がいた。そうした動物たちは詩や絵画や大衆小説に描かれるという栄誉にあずかった。彼らはホレス・ウォルポール、バイロン卿、チャールズ・ディケンズといった優れた文学者の手になる書簡だけでなく、十八、十九世紀の王族間の文通でもたびたび話題にされていた。多種多様な動物が芸術家や文学者に創作意欲をもたらした。歴史的大事件に巻きこまれた動物もいたし、歴史上もっとも権勢をふるった人物に寄り添った動物もいた。

十八、十九世紀の動物は、裁判沙汰になった事件や大きなニュースの主役となることも多かった。たとえば、切り裂きジャックの捜査に駆り出された複数のブラッドハウンドのように、飼い主との固い絆よりも、その特殊な技能が知れわたった動物もいれば、一七八七年にテムズ川で捕獲された人喰い鮫《ざめ》のように、単に現れた場所や状況が奇妙だったことで世間の注目を集めた動物もいた。

本書はこうした動物たちそれぞれの珍しい物語に焦点をしぼっている。彼らの歴史を調査するにあたっては、十八、十九世紀の広範な資料を活用し、各動物のエピソードが事実であるかどうかを確認した。時代が近ければ近いほど、一次資料に触れることができ、エピソードの正確さが増すというのは、著者の個人的信条である。結果として本書の大部分は実際に書かれた手紙や日記、雑誌や新聞の記事からの引用を採用しており、現代とは対照的に、同じ出来事でも出典によって記述がちがうこともある。

本書で紹介する動物の多くは有名な絵画のモデルになっている。あるいは、いずれ劣らぬ著名な飼い主によって描かれている。どのエピソードについても関連のあるそれらの作品を収録したが、加えて、十八世紀のジョージ・スタッブスや十九世紀のエドウィン・ヘンリー・ランドシーアなど、名高い動物画家が描いたすばらしい作品も全篇にわたって登場させた。ほかにも、トーマス・ゲインズバラ、ジョン・ファーネリー、ヘンリエッタ・ロナー＝クニップ、ローザ・ボヌールをはじめとして、十八、十九世紀の高名な画家による動物の絵も掲載している。

もちろん、著者が選んで本書で紹介した動物のエピドードだけが歴史上の動物の話だというわけではない。動物にまつわる物語は特定の時代にかぎって存在するのではないし、西洋文化に特化されるものでもない。つまるところ、著者個人の興味をそそる物語を調べ、一冊の本にしたということなのだ。書きながら著者がわくわくしたのと同じぐらい、読者にも楽しんでいただけるよう願っている。

第Ⅱ部 犬

18、19世紀、パグは裕福な上流階級の婦人たちのパートナーだった。[ルイ＝ミシェル・ヴァン・ロー『エカチェリーナ・ディミトリエヴナ・ゴリツィナ王妃』1759年]

Ⅱ章

ナポレオンを咬《か》んだパグ

「三十年ほどまえのおしゃれな小型愛玩犬といえばオランダ・パグ（アジアとの通商が盛んなオランダ経由でヨーロッパに広まったパグのこと）と決まっていた。大ブリテン王国の年配の公爵夫人はかならず三、四頭のパグを飼っていた。ウィリアム三世が即位してからジョージ二世が崩御するまで、この不細工な小動物は貴婦人たちのお気に入りだった」

《スポーティング・マガジン》誌　一八〇三年

十八世紀後半、ジョゼフィーヌ・ド・ボアルネは、〝幸運〟を意味するフォルチュネという名の愛玩犬を飼っていた。まだ子犬のころに、親友のテレザ・カバリュス（のちのタリアン夫人）から贈られたこの雄犬は、毛色が淡黄褐色《フォーン》または黄褐色で、鼻づら《マズル》は黒く、くるりと巻いたしっぽをもっていたという。つまり、これが、社交界を牛耳る年配女性や有閑階級の婦人たちのあいだで長年、人気を集めてきた犬種、パグだったのだ。フォルチュネは、見かけも気性もパグのなかで最高とまではいかなかったが、ジョゼフィーヌはひと目惚れして、ほかのどのペットよりもかわいがった。

恐怖政治が極限に達した一七九四年四月二十一日、ジョゼフィーヌは共和政の敵として糾弾された。逮捕後、彼女が投獄されたカルメル会修道院は、ネズミや害虫がはびこる暗いじめじめした場所で、多くの囚人が詰めこまれ、ときにはひとつの房に十八人が眠ることを余儀なくされていた。ジョゼフィーヌは獄中の身だった期間の大半を、トランプのひとり遊びをするか涙に暮れるかして過ごした。

とはいえ、どうあっても耐えられない状況というほどではなかった。やはりカルメル会修道院に投獄されていた夫、アレキサンドル・ド・ボアルネとはたびたび会えたし、息子ウジェーヌと娘オルタンス、さらに子どもたちの家庭教師、マダム・ラノイとの定期的な面会も許されていたからだ。鉄格子ごしの面会には牢番が立ち会い、親しく言葉を交わすことは禁じられたが、幸運にもフォルチュネが牢を訪れることも許されていた。ジョゼ

フォルチュネとよく似たフォーンの毛色をしたパグ。[コンラディン・クナエウス『エドウィン・フォム＝ラートのパグ』1880-95年]

フランス皇后の冠を戴いたジョゼフィーヌ。［ジャン＝バプティスト・ルニョー『フランス皇后ジョゼフィーヌ』制作年不詳］

フィーヌの子どもたちとのちがいは、フォルチュネは鉄格子をすり抜けて主人のいる房にはいれることだった。

ジョゼフィーヌの不在を嘆いてやつれ果てたフォルチュネは、ウジェーヌとオルタンスとともにやってくると、いつもまっしぐらに主人の腕に飛びこんだ。未来の皇后と小柄な飼い犬パグとのこうした親愛のひとときの裏で、じつはひそかな伝達がなされていた。フォルチュネの首輪の内側に、子どもたちや友人からの短い手紙が隠されていたのだ。ジョゼフィーヌはこっそり手紙を抜きとると、かわりに自分が書いた秘密の便りを首輪に忍ばせた。この手段によって、彼女は家族のみならず、自分と夫を確実に釈放させてくれそうな、影響力のある友人とも交信することができた。

三ヵ月後、ジョゼフィーヌは釈放された。だが、夫のアレキサンドルはそんな幸運には恵まれなかった。一七九四年七月二十三日、彼は革命広場でギロチン刑に処された。こうして未亡人となったジョゼフィーヌは、そのわずか二年後、ナポレオン・ボナパルトと結婚する。

恐怖政治のさなか、囚われの身の主人のために手紙を運ぶという役目を果たしたフォルチュネは、ジョゼフィーヌからも子どもたちからも生涯、寵愛《ちょうあい》を受けた。小柄なパグは高齢になるにつれ、ますます気難しくなっていったが、家族はフォルチュネのたくさんの欠点を喜んで許した。叱るよりもむしろ優しく撫でたり誉めたりして甘やかすことにした。一七九六年には、家庭内のヒエラルキーばかりか主人の愛情の獲得においても、フォルチュネはゆるぎない地位にのぼりつめていた。このことはジョゼフィーヌの新たな夫にとって不吉な前兆だった。

一七九六年三月九日、ナポレオン・ボナパルトとジョゼフィーヌ・ド・ボアルネは結婚した。ナポレオンは二十六歳で初婚、ジョゼフィーヌは未亡人で夫より六歳上。初夜の褥《しとね》でナポレオンを驚かせたのは、ベッドにいるのが新婚の妻と自分だけではなかったことだ。フォルチュネにすれば主人のベッドで寝るのは長年の習慣であり、その夜が主人の初夜だろうと例外ではなかった。ナポレオンが犬を追い出そうとすると、ジョゼフィーヌは強く異を唱え、フォルチュネが部屋にいるのは当然だし、それどころか夫婦のベッドにも残るべきだと主張した。

このころのフォルチュネが短気で好戦的な行動を取ることはよく知られていて、見知らぬ人間が威圧的な態度でジョゼフィーヌに近づこうものなら、唸り声をあげ、その人物の踵《かかと》に咬みつくと、もっぱらの評判だった。どうやらナポレオンもまだ他人と見なされていたらしい。結婚が成就しそうになったそのとき、小柄なパグは猛然と吠えはじめた。ナポレオンは犬をなだめようと何度か試みた。それがことごとく失敗に終わると、新郎は我慢できずにフォルチュネをベッドから蹴り出した。

フォルチュネはやすやすとは屈しなかった。怒り狂った小型愛玩犬はぴょんとベッドに戻ると、夫としての義務をあらためて果たそうとしていたナポレオンのふくらはぎに、敵意をこめて思いきり咬みついた。フォルチュネの歯が負わせた傷は致命的ではないものの相当な重傷で、結果的に、ジ

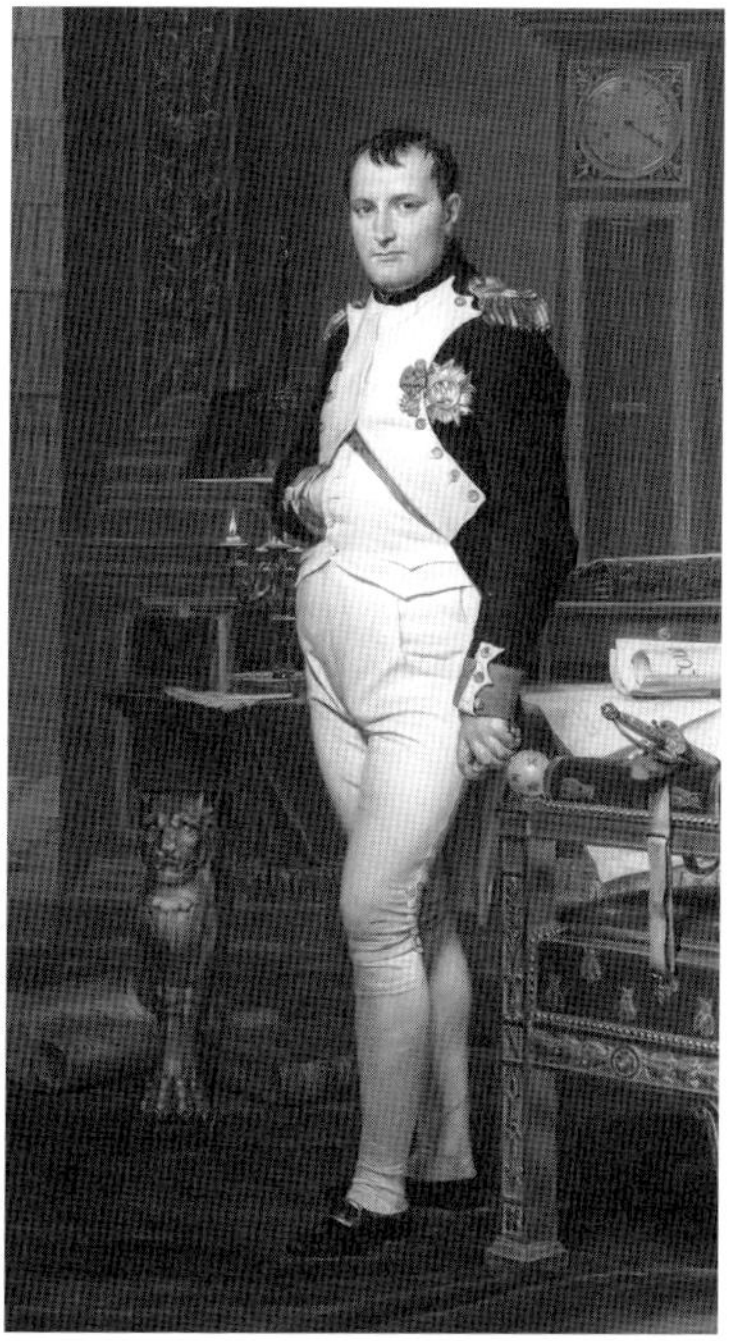

後年のナポレオン。フォルチュネに出会った新婚の夜から16年後、テュイルリー宮殿の書斎にて。[ジャック＝ルイ・ダヴィッド『フランス皇帝ナポレオン　テュイルリーの書斎にて』1812年]

ヨゼフィーヌは初夜の残りの時間をナポレオンのふくらはぎへの湿布に費やすことになり、当のナポレオンは「恐水病で死ぬ……」とうめいていたと伝えられている。[1]

ナポレオンは結局、恐水病（現在は狂犬病として知られる病）には罹《かか》らなかったのだが、自分の初夜にフォルチュネがやらかした悪さを許すことも忘れることもできなかった。小さな宿敵の猛攻撃がふくらはぎに残した傷痕は一生消えず、ナポレオンは折に触れて、この出来事をにがにがしく思い返していたらしい。たとえば、こんなこともあった。劇作家のアントワーヌ＝ヴァンサン・アルノーと話していたとき、ソファに座ったジョゼフィーヌのかたわらに寝そべるフォルチュネを指さして、ナポレオンは言った。

「あそこに紳士がいるだろう？　あいつはわたしの宿敵でね。初夜の奥さまのベッドを占領していたのさ。追い出してやりたかったが、考えるだけ無駄だった。わたしがべつの場所で寝るか、やつとベッドを共有することに同意するか、そのどちらかだと言いわたされたから。さすがにムッとしたけれども、決断を迫られたので譲歩したんだ。掌中にした珠《たま》はなかなかに手強かった。その証拠がこの脚に残っている」[2]

内心、複雑であるとはいえ、ジョゼフィーヌがそのパグにそそぐ深い愛情をナポレオンは重々承知しており、この出来事のあとに書かれたジョゼフィーヌへの恋文の何通かには、フォルチュネの名が登場する。悲惨な新婚初夜からまだ四ヵ月しか経っていない一七九六年七月十七日付の手紙は、「百万回のキスをきみに、お行儀の悪いフォルチュネにも少しだけ贈る」という言葉で締めくくられている。

イタリア遠征中のナポレオンが新婚の妻に対して癇癪《かんしゃく》を起こしたこんな手紙もある。きみもパリを離れてイタリアに来てほしいと、ナポレオンが数ヵ月にわたって懇願したにもかかわらず、ジョゼフィーヌはいまだイタリアに着いていなかった。ナポレオンは嫉妬と怒りをあらわに、こう綴っている。

「きみは五月二十四日には出発するべきだった。人のいいわたしは六月一日まで待った。これだけ頼めば、愛しい女が日ごろの習慣や友達を諦めてくれるだろうと思いこんでいた。タリアン夫人も、バラスとの食事も、新しい演目の芝居見物も、それにフォルチュネも諦めてくれるだろうと。そう、フォルチュネ、きみが夫より愛してやまない相手も。夫のわたしに与えられるものは、ほんのわずかな敬意と、きみの心にあふれんばかりにある博愛のおこぼれだけだというのに！」[3]

なんのかのと言い訳して四ヵ月近くの月日が流れ、ジョゼフィーヌはようやくイタリアのナポレオンに合流することを承諾した。むろん、ひとり旅ではない。荷物と使用人がぎっしり詰めこまれた大型馬車三台を連ねた旅の同行者は、騎兵連隊に属する義兄のジョゼフ・ボナパルト、新婚の夫の副官であるジュノー大佐、彼女の目下の恋人イッポリト・シャルル、そしてパグのフォルチュネだった。

イタリアに着くと、フォルチュネはあっというまに人気者になった。一八四二年の《コート・マガジン・アンド・マンスリー・クリティーク》誌によると、フォルチュネは「任務についている将校全員に撫でられ、かわいがられ」、たちどころに「本営の重要な役どころ」と認識された。ナポレオンとしてはおもしろくない。時間も距離も、この甘やかされたパグについてのナポレオンの考えを変える役には立たなかった。彼がフォルチュネを大目に見ているのはジョゼフィーヌのためだけだった。だが、その先もずっとフォルチュネを大目に見なければならなかったわけではない。フォルチュネは、想像もつかない悲運な最期を迎える運命にあったから。

ある日、モンテベッロの庭を歩きまわっていたフォルチュネは、料理人が飼っている超大型犬に遭遇した。この犬の種類をマスチフとする資料もあれば、ブルドッグと説明するものもある。犬種はともかく、唸ったり吠えたりして威嚇するフォルチュネを、その犬はすんなりとは受け入れなかった。フォルチュネが自分の優位を主張しようとしたとき、料理人の大きな犬は小柄なパグをいきなり口にくわえた。そのひと咬みで肋骨が砕かれ、フォルチュネは数時間も経たぬうちに絶命した。

事態の急変にあっても悲しみに打ちひしがれる心境ではまったくないナポレオンは、自分の周囲で悲しんでいる人間に我慢ならなかった。《コート・マガジン・アンド・マンスリー・クリティーク》によれば、宮殿内で任務についていた衛兵のひとりがフォルチュネの死を悼んで涙していることに気づくと、「深い悲しみを癒やすためには静けさと孤独が必要だ」とその衛兵に告げ、二十四時間の拘禁に処したという。

当のジョゼフィーヌの悲しみは、そんなふうにやすやすと操れるはずもない。フォルチュネを失って悲嘆に暮れるジョゼフィーヌはどうにも慰めようがなかった。ナポレオンはジョゼフィーヌが新たにパグを飼うことを禁じたが、イッポリト・シャルルは恋人の涙に耐えられず、即座にパグの子犬をプレゼントした。

それからしばらくして、ナポレオンとくだんの料理人が何度か顔を合わせる機会があった。悔悟の念にさいなまれる使用人は、自分の飼い犬がフォルチュネを咬み殺してしまったことを詫び、あの大型犬は追いはらって二度と戻らないようにしたと報告した。するとナポレオンは、「犬を呼び戻せ。こんどのパグも駆除してくれるだろうから！」とこたえたそうだ。[4]

ヴィクトリア朝時代、パグは一貫して人気の高い愛玩犬だった。[ジェームズ・ティソ『ボートに乗る若い女、または反射』1870年]

18、19世紀、裕福な紳士淑女はしばしば当時の著名な画家に愛犬の肖像画を発注した。[トーマス・ゲインズボロー『スピッツ』1765年]

18世紀の馬の画家として有名なジョージ・スタッブスは、犬や、ほかの動物の絵も残している。[ジョージ・スタッブス『茶色と白のノーフォーク、またはウォーター・スパニエル』1778年]

2章

アレキサンダー・ポープに尽くしたグレート・デン

「歴史には友人より犬の忠誠心をしめす事例のほうが多く残っている」

アレキサンダー・ポープ　一七〇九年

十八世紀の詩人で風刺作家のアレキサンダー・ポープは、生涯を通じて大の犬好きだった。大型犬を好んで飼ったのは、彼の著作のなかで辛辣なウィットの攻撃を受けた人々が、暴力で仕返ししようとすることがあったからだ。子どものころに脊椎をおかす結核の一種を患ったポープは、体が小さく虚弱だったので、実際に肉体的な争いが起きた場合に自分の身を守ることができず、護衛でもある飼い犬を頼りにしていた。

ポープが長年飼いつづけたグレート・デンは、代々バウンスと名づけられた。最初と最後のバウンスは雄犬だったが、そのほかはすべて雌で、なかでも一七二八年に飼っていた「大きくて忠実なデンマーク犬」（〝グレート・デン〟は〝大きなデンマーク人〟という意味）がもっともよく知られている。『愚物物語』（あぽろん社、一九八九年、中川忠訳）の出版後、ポープはおびただしい数の脅迫を受けた。一度などは、散歩中にふたりの紳士に襲われて殴打されたという噂すら残っている。そんなトラウマ体験から、ポープは身の安全に異常なほど注意を払うようになり、将来にわたっても、バウンスの付き添いと拳銃二挺の携行なしに散歩に出かけることは二度となかった。

小柄なポープの四フィート半（約百三十七センチ）の身長はバウンスの体高と同じだった。それほど大きな体をもつほかの犬であれば、ポープのように極端に小柄な主人を力で圧倒していたかもしれないが、バウンスは総じて礼儀をわきまえていた。ただ、長時間の拘束から解放されたときだけは、ありあまる力で主人を押し倒してしまった。ジョージ・リトルトン（友人で政治家・文人の初代リトルトン男爵）が、ポープに宛てた一七三六年十二月二十二日付の手紙で、そのことに触れている。

「この焦燥感の大きな原因は、きみに会いたい気持ちだということを、わざわざ伝える必要はないでしょう。しかし、わたしがどれだけ自分の熱情を抑えられるかをしめすため、もう一週間か十日ほどはここで静かにしているつもりです。その後、かぎりなく凶暴な精神状態にあるときにはそちらへ行き、きみを押し倒してあげましょう。投薬と監禁の養生を終えて解き放たれたバウンスのように」

そんなふうにポープを押し倒してしまうときはべつとして、バウンスは主人を守り、執筆する彼を支えていた。ポープが机に向かっているあいだは足もとにおとなしく伏せて待ち、客が来れば交流し、喜々として注目の的となった。バウンスを題材とした詩も一、二篇ある。もっとも有名なの

アレキサンダー・ポープの肖像画。バウンスと名づけられた何代めかのグレート・デンと。[ジョナサン・リチャードソン『アレキサンダー・ポープと愛犬のバウンス』1718年]

50歳のアレキサンダー・ポープ。[ジョナサン・リチャードソン『アレキサンダー・ポープ』1738年]

は、一七三六年の『バウンスよりフォップへ　トゥイッケナムの犬が宮廷犬に捧ぐ英雄詩体の書簡詩』だろう。これはバウンスからフォップ（〝気取り屋〟という意味）という名のスパニエル犬に宛てた手紙のような体裁の詩で、廷臣と宮廷生活を風刺する内容になっている。

『バウンスよりフォップへ』

しとやかなフォップ、あなたにこの詩を捧げます。
スパニエルではないけれど、わたしはあなたの友達です。
かつてわたしのしっぽはふしだらに
あちらこちらに跳ねまわり、
こともあろうにその先っぽで
淑女のお膝にのったワンちゃんを傷つけて
でもそれゆえに、こんどはその頭を食いちぎらんと思いつき！
バウンスはあなたが読む本にはけっして登場しない犬。

フォップ！　あなたはダンスもできれば、膝を折るおじぎもできて、
ものを取ってくることも、へつらうことも、ちんちんまでできて、

そのうえさらに（これぞあなたの得意芸）
身をこごめて紐や棒切れを拾ってみせます。
わたしたち田園犬が愛するのはもっと高貴なスポーツ、
宮廷犬のお戯れは軽蔑。
あらあら、お行儀の悪いフォップ！　あなたはところかまわず
お部屋のなかでオ◯ラやオシ◯コをしてまわります。
お膝を見つけたら頭をのせてごろり、
無視されたら迷わずガブリ！
いやらしい妬みや悪意から放たれる、わたしへのいちばんの悪口は、
あいつは咬みつくことができるというもの。
たくましい体の放浪者も、ボロをまとったならず者も、
わたしにちょっかいを出したところで自慢にはならず、
そんなつまらぬ騒ぎのあとの始末など、
正直者バウンスには日常茶飯事。
あなたをはじめ宮廷の気取り屋さんはみな、
ひと切れの肉をもらうために悪魔に媚びへつらうけれど、
慈悲心のあるわたしは肉屋をにくみます。

たとえその人が自分に肉を持ってきてくれる人であっても。
ついでに言わせてもらいますが、ちゃんとした鼻をおもちなさい。
（ぷんぷんにおう気取り屋さんたちがどう思うかは知りませんが）
金糸織りの布や薄衣《うすぎぬ》の下にひそませた、
隠蔽や問題を嗅ぎわけられる鼻を。

あなたの主人のコソ泥貴族には、単純なプライドがあり、
もしかしたら鍵をこじ開ける道具も彼のそばにあります。
わたしの主人には鍵と名のつくものはひとつもいりません。
このバウンスが家と門を守ってあげますから。

そうしたすべての犬たちの華やかな時が過ぎ、
不埒なパムも、おべっか使いのトレイも、
甘やかされたキューピッドも、みだらなヴェニも、
まだら模様でやぶにらみのハーレクイーニも、
もはや貴婦人のお胸を舐めることもなく、
下痢や淋病で、あるいは痒《かゆ》みのあまり死んでしまったら、

うるわしきテムズは岸のどちらからも、
泣きすさぶわたしの雄々しい声を聞き、おそれおののくことでしょう。

雷鳴のごとく轟きわたる子孫の声に囲まれた、
ベレキュンティア母神のごときバウンスをごらんあれ。
わたしの下にも、横にも、上にもいる、
百頭の息子たち！　そのなかに気取り屋は一頭もおりません。

わたしの子らがあなたに肉を用意するとしても、
真のバウンスならば、だれひとり盗っ人にはなりません。
許可なくして餌を食べることもございません。
（飢えたユ○ヤの血をひいていなければ）（ポープはカトリック教徒）
でも、父の種がなんであれ、
息子たちはわたしから少しばかりの品位を吸いこんでいます。
ひな鳥と子牛の肉で大切に育てられた、
あなたの由緒正しき子らが、ひたすら盗みを覚えているあいだに。

わたしの最初の息子が住む、ここからほど遠からぬところには、
偉大なストラフォードの星がまたたいています。
二番めは（幸運の寵児！）
バーリントン邸のパッラーディオ様式の門で待っています。
三番めは（もっとも幸福な犬！）、
コバム邸の散歩道を闊歩しています。
友達をバサースト邸の玄関まで案内する子もいれば、
オックスフォード邸でかわいそうな人たちに甘えている子もいます。

紋章と芸術で飾られた貴族たちが、
これから生まれるわたしの子を待ち受けています。
さりとて、機知と品位をそなえていないお方は、
わたしの血を引く子犬を望むことはできません。

そして、ああ！　運命が無上の喜びを、
わたしの子らに授けてくれますように（わたしには大きすぎる喜びを）。
あのふたり、もっとも背丈のある二頭の息子には、

古《いにしえ》のエウアンドロスのように堂々たる足並みで、
アスカニオスのかたわらに寄り添う気品があるやもしれません。
おべっか使いや密偵や女衒《ぜげん》を寄せつけず、
気高い奴隷が近づくことも許さず、
ファニー卿の耳にも入れぬようにしておけば、
ひょっとしたら王家の若者がほんとうに、
せめて一頭、いや二頭を、友達にしたいと思うやもしれず、
そうなった暁には、まさしく王家の宝、
見つけた本人のほかはだれも見いだす資格のない宝が生まれるのです。

バウンスはそのとき（これがバウンスが望みうるすべて）
墓のなかでしっぽを振ることでしょう。

かのピタゴラス学派ならいざ知らず、
ドライデンが詠んだ牝鹿もいざ知らず、
動物に不滅の魂をあてがった医者は
ホイッグ党にもトーリー党にもいまだかつておらず。

けれど我が主《あるじ》ポープはのちの世で、
真実と良識から友と呼ばれることでしょう。
彼はいま王に贈る言葉より
もっと高尚な歌を詠んでおりますが、
杖をもってこんな誓いをたてました。
（犬と詩人のどちらをも畏怖している詩人の誓いです）
われまもなく人も作品も絶たん、
そして有徳のバウンスのごとく幾たびも叫ばん。

バウンスは現実にも「雷鳴のごとく轟きわたる子孫の声に囲まれ」ていたようだ。『バウンスよりフォップへ』にあるとおり、一七三六年に誕生したバウンスの子はストラフォード伯爵家、バーリントン伯爵家、コバム子爵家、バサースト男爵家に引き取られた。なかでもおそらくもっとも有名なのは、フレデリック・ルイス皇太子に贈られた子犬だろう。その首輪には、いまや伝説となったポープからの贈呈文が刻まれていた。「われは宮殿《キュー》に座す皇太子殿下の犬なり／どうか教えて、あなたはどっちの犬なの？」
しかし、バウンスは創作の女神にとどまらぬ大きな存在だった。ある夜には文字どおりポープの命を救ったのだから。その日の早い時間に、ポープは新しい従者を雇っていた。ひと目でこの男をいけ好かないと感じたバウンスは、従者がポープの寝支度を手伝ったあとで部屋にそっと忍びこみ、就寝中の主人を見守った。

夜半、ポープはバウンスが侵入者を取り押さえようと奮闘する音で目を覚ました。バウンスは口で男の喉もとを床に押さえつけていた。ポープは窓辺に駆け寄り、助けを求めて叫んだ。その声を聞いた使用人たちがただちに動き、庭にひそんでいたもう三人の夜盗をすばやくとらえた。バウンスが取り押さえた侵入者は、ほかならぬポープの新しい従者だった。その男はピストルで武装していた。ポープを殺し、共謀者とともにポープ家の金品を奪うつもりだったのだ。

初代バウンスの最後の生まれかわりたる雄のグレート・デンは、一七四四年、サマーセットにある第五代オーラリー伯爵ジョン・ボイルのマーストン・ハウスにあずけられているときに、狂犬に咬まれたことが原因で世を去った。バウンスの死後、同年四月十日に、ポ

アレキサンダー・ポープの別荘。ここでバウンスと暮らした。[ジョゼフ・ニッコルズ『トゥイッケナムのポープの別荘』1755年頃]

ープがオーラリー伯爵に宛てて書いた手紙を抜粋する。

バウンスを襲った運命について、くわしくお尋ねすることを恐れております。天がしばしば不幸な出来事を隠すように、貴殿はことの詳細を隠してくださったのかもしれません。遺された者たちをふびんに思って、あるいは、悲しむわたしを死にせきたてまいとして。バウンスの死に深い哀悼の意が表されたことは疑うべくもありません。チョーサーの著作のなかでアテナイ人がアルシーテの死を嘆いたように（『カンタベリー物語』"騎士の話"）、宮殿の方々も嘆いてくださったのでしょう。

〝おおアルシーテ！　心優しき騎士！　なぜ、あなたは死を受け入れたのか？
少なからぬ金《きん》もあれば、エミリーもいるというのに。
おおバウンス！　心優しき獣！　なぜ、あなたは死を受け入れたのか？
少なからぬ肉もあれば、オーラリーもいるというのに〟

ポープの死後に公表され、現在では、『バウンスのこと』として知られるこの詩が、アレキサンダー・ポープの絶筆と広く認められている。これをしたためてから二ヵ月足らずの一七四四年五月三十日、ポープは逝った。バウンスの訃報に接した悲しみが彼の死期を早めたのだと思えてならない。

18、19世紀の動物肖像画には、愛玩犬も猟犬も描かれた。[ジョージ・スタッブス『パント舟に乗る白いプードル』1780年頃]

18、19世紀の絵画に描かれた犬種の多くが、今日とはかなりちがった姿かたちをしている。[ジェームズ・ウォード『ラフ・コリー』1809年]

3章 ホレス・ウォルポールに遺贈されたスパニエル

「お気の毒なデファン夫人の小さな愛犬が到着しました。最後に夫人にお会いしたとき、お約束したのです。この子犬があたうかぎり幸せに暮らせるよう、心を尽くしてお世話いたしますと」

ホレス・ウォルポールからの手紙　一七八一年五月四日

現代人が遺言書を作成する際に、故人のペットのための対策を講じることは珍しくないが、十八、十九世紀の多くの動物愛好家にも同様の傾向が見られた。たとえば、美貌で知られたリッチモンド公爵夫人フランセス・テレサ・スチュアートは晩年、数匹の愛猫だけをそばに置く隠遁《いんとん》生活を送っていた。一七〇二年に夫人が亡くなって開封された遺言書には、遺された猫たちを数人の女友達に分配し、猫の扶養に対する遺産を各人に分与する旨がしるされていた。みずからの死後もネコ科の話し相手《コンパニオン》の生活を案ずるがゆえのこの気前のよさは、アレキサンダー・ポープにインスピレーションを与え、かの有名な一節を書かせたとされている。

「が、しかし、あれもこれも失いて逝く数多《あまた》の人よ、
　大学に、さもなくば猫に贈りて逝く人よ」

十八世紀の英国の政治家、第四代チェスターフィールド伯爵フィリップ・スタンホープも動物をこよなく愛し、一七七三年に没すると、愛猫数匹とその子孫に生涯年金を遺した。一八〇一年から一八〇六年、ついで一八〇七年から一八二七年に英国大法官を務めた初代エルドン伯爵ジョン・スコットもまた、愛犬ピンチャーに対して勝るとも劣らない気前のよさをしめした。ピンチャーはもともと、エルドン伯爵の子息ウィリアム・ヘンリーの飼い犬で、一八三六年、ウィリアム・ヘンリーは臨終の願いとして「哀れなピンチャーの面倒をみる」ことを父に頼んだのだった。[6] エルドン伯爵はある書簡でこのことを詳述している。

「すべてが終わったことをその犬が教えてくれました。犬の姿が見えないので急いで捜すと、ベッドで冷たくなった主人に寄り添っているではありませんか。哀れなピンチャー！　なにがあろうとピンチャーを失いたくありません」[7]

エルドン伯爵は、ジャーマン・スパニエルであるピンチャーをいつもそばにおくようになった。一八三八年に伯爵が没すると、ピンチャーの給餌と世話の費用として、娘フランセスに年額八ポンド

（当時の一ポンドは現在に換算すると約六〇ポンド）が遺された。ピンチャーはその後、名高い動物肖像画家エドウィン・ヘンリー・ランドシーアの絵のモデルにもなり、ランドシーアはピンチャーを「賢さが顔にあらわれた、すばらしく絵になる老犬」と称えた。[8]長生きしたピンチャーは一八四〇年五月、高齢のため死去。エルドン伯爵の所領、エンコムにある伯爵家の墓石「エルドンの腰掛け」のかたわらに葬られた。ピンチャーの墓石には、大法官のお気に入りの犬だったと刻まれている。

十八、十九世紀、遺言書にペットへの遺産分与をしるしたのは貴族階級だけではなかった。一八九五年の《ザ・リヴィング・エイジ》誌にこんな記事がある。

「一八〇五年にナイツブリッジで没した紳士は、四頭の愛犬に二十五ポンドの年金を遺した。この四頭は、紳士がイタリア旅行中に追いはぎに襲われたとき、主人の命を守った忠犬の子孫にあたる」

エドウィン・ヘンリー・ランドシーア卿は、19世紀の動物画の第一人者だった。［エドウィン・ヘンリー・ランドシーア卿『寝そべるスパニエル』1860年］

真鍮《しんちゅう》に銀めっきをほどこした嗅ぎ煙草入れ。トントンの肖像画が蠟《ろう》で描かれている。友人のデファン夫人の遺言により、ホレス・ウォルポールに遺贈された。[ルイ・ルーセル、アイザック・ゴセットが制作]

ほかにも、ロンドンのある裕福な寡婦が、二十五年近くをともに過ごした忠実なペットのオウムに二百ポンドの年金を遺した、という記事が残っている。抜け目のないこの女性は、世話をする者がオウムを捨てるか、場合によっては殺すかして、年金を懐に入れたい衝動に駆られるであろうことをじゅうぶんに認識していたにちがいない。遺言書には、オウムは年に二度繁殖しなければならず、それが実行されないときは年金の支給を全面的に停止すると特記されていた。

一八二八年に他界したべつの婦人の話もある。彼女はペットの猿に十ポンド、猫と犬にそれぞれ五ポンドを遺した。遺言書は、ペットのうち一匹が死んだ場合には、その一匹に与えられた遺産の残金をほかの二匹に分配すること、ペットの全員が死んだ場合には残金を婦人の娘に戻すことを定めていた。

　わたしが個人的に大好きというだけでなく、注目を浴びるにふさわしいと確信しているのは、一七八〇年に世を去ったデファン侯爵夫人マリー・アンヌ・ド・ヴィシー＝シャムロンから、第四代オーフォード伯爵ホレス・ウォルポールに遺贈された短気な雄犬、トントンにまつわる話だ。ウォルポールの親しい友人だったデファン夫人はトントンのほかに、飼育費と、蓋にトントンの肖像が描かれた銀めっきの嗅ぎ煙草入れもウォルポールに贈った。

若き日のホレス・ウォルポール。［アラン・ラムゼー『ホレス・ウォルポールの肖像』1759年頃］

　小型のスパニエル、トントンの気性の荒さはつとに有名で、主人と一緒にいると攻撃性がよりあらわになった。ウォルポールはいとこのヘンリー・シーモア・コンウェイに宛てた一七七五年九月八日付の手紙に、デファン夫人の存命中に起きたある事件の詳細を綴っている。

「せんだっての夜、［トントンが］レディー・バリモアの顔に襲いかかった。レディーの目玉をえぐり出してしまったのではないかと思ったが、指を咬んだだけですんだ。レディーはおびえて泣きだした。現実をありのままに見ないことがお得意のデファン夫人は、トントンのしつけがまったく足りていなかったことに気づきながらも、とっさに、どこかの婦人の愛犬がどこかの紳士の足の一部をかじり取ったという話を始めた。心優しいその婦人は恐怖のあまり、〝うちの犬が病気にならないかしら?〟と叫んだそうだ」

デファン夫人の死後、ウォルポールはトントンを自宅に連れ帰った。新しい環境になじむまでの期間はたいへんだった。一七八一年五月六日付のコンウェイへの手紙にはこうある。

「今朝、新たな住まいを統治させるべく［トントンを］自宅に連れてきた。だが、トントンの統治者への就任はまったくもって不穏な幕開けとなった。サン・ジョセフにいたころと同じように横暴にふるまってもよいらしいと早くも察知したトントンは、まず、わたしの美しい小さな猫を追放しようとしたのだ――むろん、わたしたちがそれに合意するつもりはないけれども。つぎは、犬たちの一頭にも襲いかかったが、見事にやり返され、血が出るほど足を咬まれていた」

やがてトントンは――少なくともウォルポールには――なついて、彼もその小さな犬を溺愛する

ホレス・ウォルポール。トゥイッケナムのストロベリー・ヒルにあった書斎にて。当時飼っていた犬とともに。［ヨハン・ハインリヒ・ミュンツ『書斎のホレス・ウォルポール』1755-59年］

ようになった。残念ながらウォルポール以外にはあいかわらず攻撃的で、トントンがしでかした多彩な悪さは、ウォルポールが残した大量の手紙で披露されている。人の指に咬みつき、よその家の家具を壊すのはあたりまえだったから、旅行に際してウォルポールは、滞在先の邸宅の家具を傷つけたときに使用人に渡す口止め料として、かならず「手もと金」をトントンに持たせなければならなかった。一七八一年七月四日付のオッソリー伯爵夫人への手紙にこのことが書かれている。

「どうかご心配なく。あなたがトントンに悩まされることはございません。ただし、トントンは旅行の折には妥当な額の手もと金を持参することも請けあっておきましょう。それにつけても、家具嬢《ファニチャー》は犬が好きではないと叔父がよく言っていたのを思い出します。ついついわたしも、トントンがマーガレットのようなおしゃべり家政婦を黙らせようとするのを大目に見てしまうのです」

トントンはホレス・ウォルポールにとって最後の愛犬になった。一七八九年二月、トントンは「痛みに苦しむことも、うめき声をあげることもなく」、ウォルポールのかたわらで息を引き取った。一七八九年二月二十四日付のオッソリー伯爵夫人への手紙で、ウォルポールはこう言いきっている。

「わたしはいま、大切な旧友とトントン自身に思いを馳せながら、十六歳まで彼の面倒をみられたことに満足しております。トントンをいつも気にかけ、でも、自分より彼が長生きすることをたえず恐れていました。トントンの幸せをわたしたちと同じぐらい真剣に考えてくれる三番めの飼い主に出会うのは、ほとんど不可能だったでしょうから」

トントンは、ホレス・ウォルポールのトゥイッケナムの領地、ストロベリー・ヒルにある礼拝堂の裏に葬られた。トントンのかわりとなる犬を贈ってもかまわないかとオッソリー伯爵夫人に問われると、ウォルポールは断った。二月二十四日付の手紙での釈明を紹介しよう。

「『トントンがいない』さびしさは計り知れないでしょうが、新しい犬はもう飼えません。歳を取りすぎました。つぎの犬を飼えば、わたしがいなくなったときに不幸にするだけです」

バイロン卿のニューファンドランド犬、ボースンの肖像。ボースンが死んだ年に描かれた。[クリフトン・トムソン『バイロン卿の愛犬、ボースンの肖像』1808年]

4章
バイロン卿の無二の友

「バイロンの犬好きは生涯をとおして変わらなかった」

『英国の犬の歴史研究 *Researches Into the History of the British Dog*』ジョージ・ジェシー　一八六六年

十九世紀の伝説的なロマン派詩人にして第六代バイロン男爵、ジョージ・ゴードン・バイロンは大の動物好きで、生涯をとおして犬、猫、馬、猿、数種類の鳥、一時期は熊まで、じつにさまざまなペットを飼った。これらすべてのペットのなかで彼のいちばんのお気に入りで、しかも、ずばぬけて有名なのは、まちがいなく愛犬ボースンだった。

バイロンがわずか十五歳のときから飼われていたボースンは、ニューファンドランド犬とされることが多いが、その姿は、現代のわたしたちが知っているニューファンドランドとはかなり異なる。当時のボースンの肖像画を見ると、毛色は黒一色でなく黒と白。巨体でももふもふでもなく、痩身で短いなめらかな毛に覆われ、ジャーマン・シェパードやシベリアン・ハスキーのような骨格をしている。それでも、ボースンはニューファンドランド犬がもつ本能的な能力として知られる特徴をすべてそなえていたようで、とりわけ重要なのが水難救助の本能だった。

バイロンが好んだボースンとの遊びのひとつが、溺れたふりをしてボースンを水に飛びこませ、自分を助けさせるというものだった。ノッティンガムシャーにある先祖伝来の館、ニューステッド・アビーに滞在中、バイロンはよく湖に向けて舟を漕ぎだし、ボースンが見ているのを確認すると、わざと舟から水のなかに落ちてみせた。ボースンは即座に湖に飛びこんでバイロンを岸まで引きあげるのだった。

バイロンはボースンと同時期にネルソンという名の獰猛《どうもう》なブルマスチフも飼っていた。ネルソンとボースンは不倶戴天の敵であり、ネルソンには通常、口輪をはめてあったが、まれに拘束を解かれると、ネルソンはすかさずボースンの喉を狙った。一八〇六年の夏は両者の戦いがとくに激しく

全盛期のバイロン卿を描いた1856年の版画。[作者不詳『バイロン卿』1856年]

繰り広げられた。バイロンの友人で詩人仲間でもあるトマス・ムーアは、この夏、ハロゲイトでバイロンとともに休暇を過ごしており、ネルソンとボースンの決闘をじかに目撃する機会を得た。彼はこう書く。

「ネルソンとボースンのあいだには、嫉妬による争いが絶えなかった。ネルソンのいる部屋にボースンがはいってくると、どちらも間髪をいれず相手に飛びかかるのだ。バイロン、ぼく、フランク、それに給仕をしていた者も総動員で懸命に二頭を引き離そうとするのだが、たいていは、おのおのの口に火かき棒と火ばさみを突っこむまで引き離すことができなかった」

ボースンと張りあっていたのはネルソンだけではない。バイロン卿の母レディー・バイロンは、ギルピンという名の小型のフォックス・テリアを飼っていたが、この犬もまたボースンと「恒常的な戦闘状態」にあった。ボースンはギルピンを攻撃する機会をけっして逃さないので、体がはるかに小さいギルピンをいつか殺してしまうのではないかと、家族の多くが心配していた。結局、バイロンが進学のためにケンブリッジに向けて出発したのを機に、レディー・バイロンはギルピンを追い出し、ニューステッド・アビーの貸借人と生活させることにした。

ライバルがいなくなったボースンは落ち着きを失い、ある朝、忽然と姿を消した。バイロンが大学にいるあいだの世話をまかされていた使用人は慌てふためき、あちこち捜しまわったが、ボースンは見つからなかった。夕暮れどきになってようやく戻ってきたボースンは、ひとりではなかった。ギルピンを伴っていたのだ。ボースンは小柄なテリアを厨房の暖房器のまえまで導くと、体を舐めてやってから、「可能なかぎりの喜びの実演」をしてみせた。ムーアはこう報告している。

「なんとボースンはギルピンを連れ戻すため、はるばるニューステッドまで行ってきたのだ。おまけに、かつての敵をふたたび同じ屋根の下に住まわせることができてからは、ギルピンと完全に意気投合し、いまやほかの犬の無礼なふるまいから彼を守ってやっているほどだ（小柄なテリアは喧嘩っ早いから、休むまもない作業となっているが）。ギルピンの苦痛の声を聞きつけようものなら、ボースンは救助に飛んでいく」

ギルピンを取り戻すための一日がかりの遠征がしめすように、ボースンには地域一帯を歩きまわる自由が与えられていた。郵便配達の少年を追いかけて最寄りの町マンスフィールドまで行くのは日常業務のようなものだった。こうした遠出をしていた一八〇八年十一月のある日、ボースンは狂犬病の犬に咬みつかれた。バイロンは当初、愛犬が狂犬病に罹っていることに気づかなかった。ボースンが重い病におかされているということしかわからぬまま、彼は最期まで片時もそばを離れず、ときには泡を吹くボースンの口を素手でぬぐってやったりもしていた。

一八〇八年十一月十八日、ボースン永眠。バイロンは打ちのめされた。その日のうちに友人のフ

バイロン卿とボースンが暮らしたノッティンガムシャー州のニューステッド・アビー。
[ルイ・ハーグ(版画)、モーゼス・ウェブスター(原画)『ニューステッド・アビー、故バイロン卿の邸宅』制作年不詳]

ランシス・ホジソン牧師に宛てて、苦悶《くもん》に満ちた報告の手紙をしたためている。

「ボースンが死んだ！――過酷な苦しみの果てに十八日、狂気の状態で逝ってしまった。だが、最期のそのときまで、彼本来の優しさは少しも失われていなかったよ。周囲のだれにも、かすかな傷さえ負わせなかった。なにもかも失ったぼくに残されたのは年寄りのマレーだけさ」

一八〇八年十一月二十七日付のホジソンへのべつの手紙には、死んだ愛犬のかたわらに葬られたいと願うバイロンの気持ちが吐露されている。

「ボースンはぼく自身を待つ墓所に埋葬されることになった。墓の碑文も書きあげた。それを送ってもいいのだけれど、ふたつの理由から、送るのはやめておく。ひとつは、手紙に収めるには長すぎるから。もうひとつは、いつか実際に刻まれたその場所で読んでもらいたいからだ」

ボースンはニューステッド・アビーの庭に葬られた。墓石には、バイロンがホジソンへの手紙で触れた碑文が刻まれている。冒頭の数行はバイロンの友人ジョン・ホブハウスが寄せたものだが、残りの部分はバイロン卿自身が詠んだ詩である。

『ある犬に捧げる碑文』

この場所に
遺骨を納められた者にあったのは、
虚栄ならざる美しさ、
傲慢ならざる強さ、
凶暴ならざる勇ましさ、
そして悪徳ならざる人の美徳のすべて。

この賛辞が人の亡骸に贈られたなら、
無意味なお世辞となるだろうが、
これはボースンという犬の
思い出に捧げる敬意の証《あかし》。
彼は一八〇三年五月、ニューファンドランドで生を享《う》け、
一八〇八年十一月十八日、絶命した。

誇り高き人の子が土に還るとき、

栄光とは無縁な生にのみに支えられていた者であっても、
彫刻家の技は壮麗な悲痛を彫りつくし、
積み重ねられた骨壺はその下に眠る者を記録する。
すべてが終わるとその墓には、
在りし日の彼の姿ではなく、在るべきだった彼の姿があらわれる。
しかし、かわいそうな犬、我が人生でもっとも堅実な友、
真っ先に迎え出て、真っ先に守ってくれた友、
その正直な心はいまも彼の主人のもの。
彼は主人のためだけに働き、戦い、生き、息をし、
そのおおいなる価値に気づかれることも栄誉を授かることもなく倒れ、
土に還った魂は天国で拒絶される。
ひるがえって人は虚栄のウジ虫！　ただ赦しを乞い、
唯一かつ排他的な天国をおのれに求める。
おお人よ！　哀れな時の貸借人、
隷属により貶《おとし》められ、さもなくば権力により堕落させられし人よ、
おまえをよく知る者は嫌悪で見放すにちがいない。
活気づいた塵がつくった腐敗の塊！

おまえの愛は色欲、おまえの友情はいかさま、
舌は偽善、心は欺瞞！
あさましい本性を高めるのは家名のみ。
獣じみた親族も、恥じいって顔を赤らめよとおまえに告げるだろう。
この素朴な墓をたまたま目にした人よ、
去れ――この碑文が称えているのは、おまえが悼みたい相手ではない。
この石は友の亡骸がある場所をしめすために立っている。
わたしの無二の友――彼はここに眠っている。

時を経てもバイロンの深い悲しみはいささかもおさまらず、愛した犬のかたわらに葬られたいという願いが忘れ去られることもなかった。一八一一年八月十二日、バイロンがおかかえ弁護士に送った遺言書の草案には、つぎのような条項さえふくまれている。

「B卿の亡骸はニューステッドの庭園の墓所に埋葬すること。葬儀も埋葬式もいっさいおこなわぬこと。墓碑に刻むのは姓名と年齢のみで碑文は不要。故人の愛犬を上記の墓所から移動させぬこと」

　バイロンが遺言にしるした望みはかなわなかった。彼はギリシアの独立戦争に参加し、一八二四年四月十九日、西ギリシアのミソロンギで客死した。ニューステッド・アビーはそれ以前に人手に渡っており、イギリスに戻されたバイロンの遺体は、ボースンのかたわらに葬られるのではなく、ノッティンガムシャー州ハックノールのバイロン家の教会堂にある墓地の、母親の墓のとなりに埋葬された。世界でもっとも偉大な詩人のひとりがイヌ科の忠実な友に捧げた愛情の永遠の証として、ニューステッド・アビーにはボースンの墓碑がいまなお立っている。

ニューステッド・アビーにあるボースンの墓碑のスケッチ。［H・A・パウエル『ボースンの墓』1936年］

ダンディー・ディンモント・テリアの肖像。馬や狩りの光景を描いた絵画で知られたイギリスの画家ジョン・ファーンリーによる。[ジョン・ファーンリー『ダンディー・ディンモント・テリア』1848年]

グレイハウンドは長年、富や特権、王侯貴族などと関連づけられていた。
［チャールズ・ハンコック『二頭のグレイハウンドのいる風景』1830-50年頃］

5章

アルバート公お気に入りのグレイハウンド

「彼女はわたしが十四歳のときから二十五歳になるまでの時間をともに過ごした友でした。人生でもっとも美しい最良の時期を象徴する存在なのです」

アルバート公からの手紙　一八四四年七月三十一日

ヴィクトリア女王とその夫アルバート公は、十九世紀において屈指の影響力をもつ動物愛好家だった。ふたりはとくに犬を愛し、バッキンガム宮殿でもバルモラル城でもオズボーン・ハウスでも、テリア、ハウンド、コリー、パグ、スパニエルといった忠実な一団が生活の場にいないことはほとんどなかった。ただ、そうした犬たちのなかで例外的にアルバート公だけの愛犬だったのが、グレイハウンドの雌、イオスである。生後六週間の子犬のときに十四歳のアルバート公に贈られたイオスは、漆黒の毛に覆われて、鼻筋と四本の足先が白く、優美な流線形の体形をもつ成犬となった。アルバート公みずからが飼育と訓練をおこなったので、イオスは彼にとって青年時代をずっと一緒に過ごした友でもあった。

ヴィクトリア女王との結婚のため、二十歳のアルバート公がドイツからイングランドへ渡ったとき、その船にはイオスも乗っていた。アルバート公に一身を捧げていたイオスは、主人がどこにいてもあとを追い、食事中は足もとに座り、ときにはアルバート公のフォークから食べ物をひと口もらうことさえあった。アルバート公の献身ぶりもイオスに負けなかった。彼はイオスの生活のなかで起きたことを、どんなささいな出来事でも漏らさず日記に書きとめただけでなく、妻のヴィクトリアほか世界に数多くいる王室の縁者と交わした手紙にも、ひんぱんにイオスのことを書いている。

一八四〇年、第一王女が誕生すると、ヴィクトリア女王は、英国随一の動物画家エドウィン・ヘンリー・

1841年、ヴィクトリア女王はアルバート公へのクリスマス・プレゼントにするため、イオスのこの肖像画を動物画家のエドウィン・ヘンリー・ランドシーア卿に発注した。［エドウィン・ヘンリー・ランドシーア卿『イオス』1841年］

アルバート公の銅版画。[ブラッドショー＆ブラックロック(版画)、ジョージ・バクスター(原画)『アルバート公』1855年以降]

ランドシーア卿に王女とイオスの肖像画を発注し、アルバート公の誕生日に贈った。イオスはその後も単独で、あるいはアルバート公や王室の子どもたちとともに、ランドシーアの絵画にたびたび登場することになる。ランドシーア以外にもイオスを描いたヴィクトリア朝時代の動物画家がいる。そのひとりであるジョージ・モーレーは一八四一年、イオスとその子どもたち──成犬になったティムールとミシュカ──を油彩でキャンバスに描いた。イオスはヴィクトリア女王みずからの手になるエッチングや鉛筆画の題材となることもしばしばだった。

一八四一年一月、イオスはヴィクトリア女王の伯父フェルディナンド公の銃で誤射されてしまう。女王は一八四二年二月一日付の書簡で、叔父にあたるベルギー国王レオポルド一世にこの件を伝えている。

「大切なイオスの身に降りかかった災難につい

てお聞きおよびでしょう。イオスは快方に向かいつつあるとはいえ、とてもゆっくりなので、わたくしたちはまだ気を揉んでおります。事故のあった日、わたくしは心配で具合が悪くなりました。イオスが完全に助かると確信できるまでは、依然として心が落ち着きません」

早くも届いた一八四二年二月四日付のレオポルド一世からの返信を読むと、イオスが王家の人々にいかに大切にされていたかがありありとわかる。文面を抜粋する。

「かわいいイオスを襲った不慮の事故を知り、たいへん悲しんでいる。あなたの伯父ぎみはどうしてそんなことをしでかしたのか、理解に苦しむ。いっそ一族のべつのだれかを撃ってくれればよかったものを」

イオスの負傷に動転したのは王家の人々だけではなかった。前首相のウィリアム・ラム、第二代メルバーン子爵も、イオス負傷の一報を受けて胸を痛め、一八四二年二月一日にヴィクトリア女王に書簡を送っている。

「気の毒なイオスの知らせに接して、わたくしメルバーン子爵も絶望いたしました。誤射がめったにない出来事ではないということは子爵も身をもってぞんじております。犬にとって、こんな災難はありません。犬というものは、ただでさえ興味深い人生にもうひとつの強い興趣を添えてくれます。そして、こうも断言できます！　彼らは事故や人の老いによる衰えにじゅうぶんすぎるほどさらされているのです」

イオスの傷はじょじょに癒え、同年二月八日、ヴィクトリア女王がふたたび叔父のレオポルド一世にしたためた書簡には、イオスが「すっかり回復期にあり」、いまでは「フランネルの布にぐるぐる巻きにされて」歩きまわっていると書かれている。イオスはその年の秋には、ほかのサイトハウンド（狩猟犬であるハウンド種のうち、優れた視力で獲物を見つける犬種の総称）とともに、女王とアルバート公の狩猟に同行するまでに快癒した。ヴィクトリアによれば、うんと遠くで仕留められたキジを持ちかえったイオスの走りっぷりは、「ほかのどの若い狩猟犬よりも見事」だった。

翌年、イオスは健康上のべつの問題をかかえた。先の重傷にくらべればたいしたことはなかったが、ヴィクトリアは、叔父レオポルド一世に宛てた一八四三年三月二十八日付の書簡のなかで、イオスが「突発的な発作」に苦しんだことに触れている。この発作の原因を過食と考え、イオスが「すきあらば盗み食いする」ことも打ち明け、さらには、イオスが暖房のききすぎた部屋で暮らしていることや運動不足であることもよくないと主張している。叔父に書き送ったところによると、この事態に対する改善策は、「かわいそうでも、適度に空腹な状態にしておくことと、いままでのようにベッドで寝るのを禁じること」だった。

一八四四年七月三十一日の朝、イオスがウィンザー城で死んでいるのが見つかった。愛犬を失ったアルバート公は悲嘆に暮れ、翌日には祖母に宛ててこう書いた。

「この喪失の悲しみをかならず分かちあってくださることと思います。イオスはすばらしく賢い犬で、しかも、十一年間、誠心誠意わたしに尽くしてくれました。彼女につながる思い出がいったいいくつあることか！　彼女はわたしが十四歳のときから二十五歳になるまでの時間をともに過ごした友でした。人生でもっとも美しい最良の時期を象徴する存在なのです」

イオスはウィンザー城にほど近いスロープスに埋葬された。イオスそっくりの姿をしたグレイハウンドのブロンズ像がその墓の位置をしめしている。イオスの記念碑は、ヴィクトリア女王とアルバート公が愛したほかの多くのペットの像とともに、いまも同じ場所にある。

イオスと生後8ヵ月の第一王女ヴィクトリアの肖像画。アルバート公の誕生日に贈るためにヴィクトリア女王がランドシーアに発注し、1841年に描かれた。[エドウィン・ヘンリー・ランドシーア卿『第一王女ヴィクトリアと、イオス』1841年]

王家のペットたちの肖像画。スコティッシュ・ディアハウンドのヘクター、グレイハウンドのネロ、ヴィクトリア女王が飼っていたスパニエルのダッシュとオウムのロリー。［エドウィン・ヘンリー・ランドシーア卿『ヘクターとネロとダッシュとオウムのロリー』1838年］

6章
エミリー・ブロンテと愛犬キーパー

「彼女にとっていちばんの冒険は、
ブルドッグのキーパーと一緒に荒野《ムーア》を散歩することだ」
『エミリー・ブロンテ*Emily Brontë*』
アグネス・メアリー・フランシス・ロビンソン　一八八三年

ブロンテ姉妹は、ウェスト・ヨークシャーにあるハワース村の牧師館で過ごした短い生涯のなかで、さまざまなペットを飼った。彼女たちの手紙や日記には、犬、猫、さらにはカナリアなどがたびたび登場し、それぞれの死に際しては深い哀悼の意をこめた文章が綴られている。そうしたたくさんのペットのどの一匹、どの一羽にも、物語になるほどの逸話があるにちがいないが、とりわけエミリー・ブロンテが飼っていたブルドッグのキーパーほど、歴史にその名が知られた存在はないだろう。

ヴィクトリア朝時代の作家エリザベス・ギャスケルは、一八五七年に出版されたエミリーの姉のシャーロットの伝記において、キーパーを「黄褐色のブルドッグ」と表現している。キーパーがエミリーに贈られたとき、この雄犬は親しい人たちといると「忠犬そのもの」だが、杖や鞭《むち》で叩こうとする人には容赦なく襲いかかるから気をつけるようにとの忠告があったという。[9] この攻撃的な性向にエミリーがひるむことはなく、むしろその逆だった。キーパーはたちまち彼女のお気に入りのペットとなり、いつもそばにいる話し相手《コンパニオン》となった。エミリーはキーパーとムーアを散歩したり、応接間の暖炉のまえに座って片腕をキーパーの首に「まわし」、本を読んだりするのがなによりも好きだった。[10]

キーパーはエミリーの文学生活にも登場した。『嵐が丘』の著者がエミリーであることがあきらかになると、孤立した牧師の娘にどうしてあんなに暗く情熱的な世界が想像できたのか、多くの人が首をひねった。《リッテルズ・リヴィング・エイジ》誌は一八五七年の記事でこの謎を解こうと試みている。同記事はまずキーパーをエミリーの親友として紹介し、キーパーだけでなくほかの動物に対してもエミリーが抱いている親近感に触れながら、なぜ『嵐が丘』には、まともな人間より猟犬の群れに近い、「本能的で無情で残忍な」人物ばかりが登場するのかを、こんなふうに説明している。

「要するに、動物への共感と人間性への共感の完全な欠如が、彼女自身にそなわったある種の動物的気質、たとえば強情な犬のような頑固さとあいまって、こうした結果をもたらしているということだろう。そうでなければ、この不可解な謎――われわれの知るかぎりでは、聖職者の娘として人里離れた牧師館で外部の人と会うこともなく生涯を送った、もの静かで控えめで、堅実にして品行方正な若い女性が、なぜあのような場面を思い描けたのか、あるいはなぜ自身の想念をあのような言葉であらわせたのか――を解き明かすことはできない」

エミリーとキーパーは強い絆で結ばれていた。エミリーは自分の手から餌を食べさせたり、いろいろな芸を教えたりして、キーパーに惜しみなく愛情をそそいだ。一八七一年刊の《スクリブナーズ・マンスリー・マガジン》誌にはこう書かれている。

「キーパーは完全に彼女のコントロール下にあるので、跳ねさせることもライオンのような吠え声をあげさせることも、いとも簡単だった。こうした芸を無理なくできるように躾《しつ》けられていた」

エミリーと親密な関係にあるキーパーにも、「家のなかでする悪さ」がひとつあった。[11] こっそり二階へ上がり、ベッドのどれかに飛び乗って、清潔な白いベッドカバーの上にのびのびと横になるのが大好きだったのだ。ブロンテ家の人々はこの不衛生な犬の習性を好もしいとはまったく思っていなかったし、エミリー自身もこう断言している。

「もしキーパーが警告を無視して、みんなが知る獰猛《どうもう》な性格のままに、また掟《おきて》破りをしたら、こんどはわたしが、二度とそんなことをさせないように激しく打ち据《す》えるだろう」[12]

時をおかずして、キーパーがまたもや二階の「いちばんいいベッドに横たわり、気持ちよさそうにうたた寝をしている」という報告が、使用人のひとりからあった。[13]この聞き捨てならない知らせに、エミリーの顔は怒りで青ざめた。言いつけを守らない犬にお仕置きをするために、エミリーはずんずんと階段をのぼって二階へ向かった。やがてシャーロットと使用人たちはこんな光景を目にした。

「エミリーはいやがるキーパーを引きずって二階から下りてきた。キーパーはうしろ足を突っぱらせて抵抗した。〝首根っこ〟をつかまれていたが、恐ろしい低い声で唸りつづけていた」[14]

エミリーはキーパーを階段下の暗い隅に連れていくと、怒りにまかせて彼を殴打した。そのときの様子を、エリザベス・ギャスケルはこう書いている。

「キーパーが飛び掛かろうとする前に、彼女は素手の握り拳でキーパーの赤い獰猛な目を殴っていた。そして競馬の用語で言えば、目が腫《は》れ上がるまで〝キーパーをこらしめた〟。そして当のエミリーが、半分目が見えなくなってぼっとなっているキーパーを、いつもの寝床に連れて行き、腫れた顔を温湿布したりして介抱してやったのである」
（エリザベス・ギャスケル、『シャーロット・ブロンテの生涯』「ギャスケル全集　7」、大阪教育図書、二〇〇五年、山脇百合子訳より引用）

このようなひどい殴打は――ギャスケルの著書や十九世紀の雑誌記事にあるような凶暴な殴り方をほんとうにしたのであればとくに――問題だと言わざるをえない。それでもこのお仕置きは、エミリーに対するキーパーの献身にはなんら影響をおよぼさなかったようだ。キーパーは恨みひとつ抱くことなく、「その後もずっと彼女を心から愛した」とギャスケルは述べている。

その後もずっととはいうものの、エミリー・ブロンテに残された時間は長くなかった。一八四八年十二月十九日、彼女は結核で世を去った。死の前夜にエミリーがおこなったことの最後のひとつが、キーパーに夕食を与えることだった。葬儀の日、彼女の墓へ向かう葬列の先頭にキーパーがいた。そのときの光景は、一八八三年に出版されたアグネス・ロビンソンによるエミリーの伝記にしるされている。

「彼らは柩《ひつぎ》のあとについて墓へ向かった。年老いた父親、シャーロット、死期の迫っていたアン。教会堂から出ると、新たな会葬者が加わった。エミリーの愛犬のキーパーだ。彼は会葬者全員の先頭に立って歩いた。彼以上に故人のことを知る者はいなかっただろう。暗く風通しの悪い地下墓所にエミリーを安置したあと、うらさびしい教会墓地を横切り、だれもいない家に戻ってくると、キーパーは愛する主人が寝ていた部屋のドアへ脇目もふらず直行した。そして敷居の上に横たわり、その場所で何日も哀れな遠吠えを続けた。いくら嘆いても、彼女を目覚めさせることはできないとは知らずに」

キーパーはエミリーの死後、もう三年生きた。一八五〇年にハワースを訪れたミスター・ジョン・ストアズ・スミスは、牧師館の門のそばでまるくなって眠るキーパーを見かけた。老いて歯はなく、「目はまったく見えていない」ようだった。[15] しかし、老境にあってもキーパーの不屈の精神は衰えていなかった。スミスは自分の飼い犬をハワースに連れてきていた。この若い侵入者に対するキーパーの反応について、一八六八年発行のマンチェスターの地域新聞《フリーランス》紙にスミスが寄稿した記事が残っている。

「若くて元気ざかりのわたしの犬は、喜びいさんで、しっぽを振り、耳を立て、過去の遺物のような哀れな老犬に駆け寄った。するとつぎの瞬間、ハワースの教会墓地ではおよそ耳にしたことがないような狂騒が始まった。その老いさらばえた犬が、怒りの唸り声とともに若い犬に体当たりして転倒させ、咬みついたのだ。歯のない歯茎で咬みつかれても痛くはなかったが、やられたほうは、いまだかつて体験したことのない拒絶に傷つき、痛みよりも苛立ちのうめき声をあげた。一分も経たぬうちに、わたしは吠えまくる飼い犬を脇に抱きかかえた。老犬はマンドレイクの葉むらを行きつ戻りつして、消えた敵を見えない目で捜していた」

キーパーはその翌年の一八五一年十二月初旬に死んだ。ブロンテ姉妹はすでにシャーロット・ブロンテひとりになっていた。十二月八日に書かれた手紙のなかで、シャーロットはキーパーの死を友人に知らせている。

「かわいそうな老犬キーパー（エミリーの愛犬）が先週の月曜日の朝、旅立ちました。病の床にあったのはひと晩だけで、やすらかに眠りにつき、彼の老いた忠実な頭をみんなで庭に寝かせてやりました。フロッシー（アンの愛犬）は元気がなく、彼を恋しがっています。老犬を失うのはとても悲しいことでしたが、彼が天寿をまっとうできたのはよかったと思います」

1838年にエミリー・ブロンテが描いた愛犬のブルドッグ、キーパー。［エミリー・ブロンテ『キーパー』1838年］

エミリー・ブロンテとキーパーを結びつけていた唯一無二の絆は、エリザベス・ギャスケルの想像をかきたてた。死んだキーパーはもっとよい場所に行ったのだろうと、もしかしたら、『嵐が丘』の結末のキャサリンとヒースクリフとはちがう形で、ようやくエミリーとの再会を果たせたのではないかと、ギャスケルは考えた。

「半分インディアン式の信条に従って、今キーパーはエミリーの後を追っていると思うことにしよう。そしてキーパーが夢の中で、柔らかな白いベッドで休み眠って、あの世で目が覚めた時、罰せられることはないと思うことにしよう」

（エリザベス・ギャスケル、『シャーロット・ブロンテの生涯』「ギャスケル全集 7」、大阪教育図書、二〇〇五年、山脇百合子訳より引用）

1834年にパトリック・ブランウェル・ブロンテ（三女シャーロットのつぎに生まれた長男）が描いた、左からアン、エミリー、シャーロットのブロンテ姉妹。［パトリック・ブランウェル・ブロンテ『ブロンテ姉妹のアン・ブロンテ、エミリー・ブロンテ、シャーロット・ブロンテ』1834年］

7章
ペキニーズのルーティと破壊された円明園

「彼の地で買った数々のこまごまとした品はいまもわたしの手もとに残っている。かわいらしい小さな犬もそばにいる。どんなキング・チャールズ・スパニエルよりも小さな本物のチャイニーズ・スリーブ・ドッグだ。首に銀の鈴をつけている。人はこんなに非の打ち所のない美しい小型犬を見たことがないと言う」

ジョン・ハート・ダン将軍の日記　一八六〇年十月九日

流れる絹のような被毛、湾曲した短足、幅広く平たい鼻づら《マズル》をもったペキニーズは、今日ではもっともよく知られた犬種のひとつだが、もともとは中国皇室の独占的な愛玩動物だった。それを宮廷の外に持ち出した場合には厳しい罰が科せられ、当時の出版物によれば、つかまったペキニーズ泥棒は顔の石打ちや「千切り」（なるべく死を遅らせるための拷問による処刑。凌遅刑）に処された。[16]そのようなおぞましい結末を迎える可能性も、アロー戦争（第二次アヘン戦争）のさなかにあった英国軍兵士を思いとどまらせるにはいたらず、彼らは小型の狛犬《こまいぬ》のごときその小さな犬を少なくとも五匹、中国から運び出し、無事にヴィクトリア朝の本国へ持ち帰った。

ヴィクトリア女王は大の犬好きとして有名だったため、ジョン・ハート・ダン将軍は、1860年の北京円明園の焼き討ち後、ペキニーズのルーティを女王に献上した。[フランツ・クサーヴァー・ヴィンターハルター『ヴィクトリア女王』1843年頃、匿名画家による模写]

通説では、一八六〇年十月、英国軍兵士はもぬけの殻となったと思われる北京の円明園（清の時代に築かれた西洋の宮殿を模した離宮）に入城したとされている。彼らはそこで、皇帝の親族とおぼしき女性の遺体――彼女は近づく軍隊の音を聞いて自死していた――に群がる五匹の小さなペキニーズを見つけた。小型犬五匹はまとめてイングランドに連れていかれた。そのうちの二匹は、ジョン・ヘイ提督に引き取られたのちにグッドウッド城にたどり着き、ゴードン公爵の所有となった。べつの二匹はリッチモンド公爵夫人に譲渡された。淡い黄褐色と白色の毛色をした美しい五匹めの犬は、ヴィクトリア女王に献上された。女王はその犬を「ルーティ」と名づけた。

この小さなペキニーズたちが発見されるまでの経緯は、一般に聞かされていた状況とは少し異なり、あまり愉快なものではなかったらしい。一八六〇年十月六日、英仏連合軍の兵士が北京の円明園に入城したのは、五匹の無力な小型犬を救い出すという文明的な意図などではなく、円明園の焼き討ちを目的とした徹底的な破壊行為だったのだから。

一八六〇年十二月二十二日付の《イラストレイテッド・タイムズ》紙の記事には、接見用の大広間、居室、寝室、控えの間、婦人の間など、あらゆる部屋が見境なく荒らされたと書かれている。装飾を凝らした格子、翡翠《ひすい》飾り、金糸の刺繍《ししゅう》がある瀟洒《しょうしゃ》な衣装といった値打ちの高いものが侵略軍によって略奪または破壊された。高価な絹織物が整然と保管されていた倉庫もこじ開けられ、兵士のテントやベッドに使われたり、荷車で財宝を持ち去る際の固定ロープがわりに利用されたりした。

当時の中国に駐在していた英国領事官のロバート・スウィンホーは、著書『一八六〇年中国北部軍事作戦*Narrative of the North China Campaign of 1860*』において、円明園でおこなわれた破壊と略奪の規模のすさまじさを述べている。

「なんと恐ろしい破壊の光景だったことか！　ついいましがたまで静けさにつつまれていた部屋が、きれいに陳列されていた珍品の数々が、跡形もなく破壊された！　将校も兵士も、イギリス人もフランス人も、だれもがみな貴重な品を手に入れんと躍起になり、見苦しく駆けずりまわっていた。フランス人の多くは大きな棍棒《こんぼう》で武装し、持ち出せないものを粉々に打ち砕いていた」

五頭のペキニーズが発見されたのはこうした状況だった。ただ、《イラストレイテッド・タイムズ》が報じたように、彼らは「取り乱した様子で走りまわっていた」のか、それとも、私室で亡くなった女主人のそばにうずくまっていたのかはさだかでない。一九〇一年刊行のヴィクトリア女王の伝記の著者によるシナリオでは痛ましさが抑えられている。

「北京の円明園が炎上しているとき、この小さな犬（ルーティ）は、衣装だんすの柔らかなショールや膝掛けのあいだで体をまるめているところを発見された[17]」

ルーティとほかのペキニーズたちは当初「日本犬」と同一視されていたが、キング・チャールズ・スパニエルと似ていることに注目する人も多かった。円明園にいた犬の種類がペキニーズと正式に呼ばれるようになったのは、じつは二十世紀にはいってからで、それまでは北京パグ、チャイニーズ・パグ、あるいは北京スパニエル、チャイニーズ・スパニエルとして知られ、ときにチャイニーズ袖犬《スリーブ・ドッグ》とも呼ばれた。体重わずか三ポンド（約一・四キロ）、「王国最小の愛玩犬」と謳《うた》われたルーティは、〝袖犬〟の名のとおり、中国の宮廷女性が衣装の袖に入れて簡単に持ち運んだり隠したりすることができた。[18] ヴィクトリア女王がフリードリヒ・ヴィルヘルム・カイルにルーティの肖像画の制作を依頼した際、犬の体があまりにも小さいので、最終的には等身大の肖像を描くようにという指示も出された。

円明園から連れてこられたとき、推定年齢が五歳だったルーティは、ウィンザー城での新しい生活にあまりなじめなかった。城の犬舎に置かれても、そこにいる荒々しい犬たちにまじってうまく暮らすには、体が小さすぎるうえに内気すぎた。ある出版物は、英国王室の犬たちがルーティの「東洋的な習慣と外見」に異議を唱えたとほのめかしている。[19]

そんな孤独を味わいながらも、ルーティはそれから十一年間、ウィンザー城の犬舎で生きた。その間、ヴィクトリア女王本人との交流がどの程度あったのかは不明だが、一八七二年にルーティが死んでも、イオスをはじめとする王室のお気に入りのペットの伝統に則って華麗な記念碑がつくられることはなかった。ルーティの墓の場所はいまもわかっていない。

フリードリヒ・ヴィルヘルム・カイルは、ルーティが実際にどれほど小さいかをしめすために、東洋の花瓶や花束、それに、円明園で暮らしていたときにルーティがつけていた首輪の鈴など、小さなものを横に並べて描いた。［フリードリヒ・ヴィルヘルム・カイル『ルーティ』1861年］

フランスの印象派の画家オーギュスト・ルノワールによって描かれた、鈴つきの首輪をつけた茶と白の小柄なスパニエルの頭部。［ピエール＝オーギュスト・ルノワール『犬の頭部』1870年］

キング・チャールズ・スパニエルは、18、19世紀に伴侶犬としてとりわけ人気の高い犬種だった。［エドゥアール・マネ『キング・チャールズ・スパニエル』1866年頃］

8章

切り裂きジャックの捜査に雇われたブラッドハウンド

「切り裂きジャックの手並みやいかに？
スコットランドヤードとつばぜり合い
急げ——空飛ぶ殺人鬼を追い
ブラッドハウンドを放て——真実を追え！」
《ペル・メル・ガゼット》紙　一八八八年十月九日

一八八八年十月、ホワイトチャペルでの残忍な連続殺人事件の捜査を進めていたロンドン警視庁《スコットランドヤード》は、切り裂きジャックとして今日まで知られる正体不明の殺人犯の捜索に向けて、ブラッドハウンドを雇うことを検討した。このときすでに、きわめて短い期間に四件の殺人が起きていた。八月三十一日にメアリー・アン・ニコルズが、九月八日にアニー・チャップマンが殺害された。九月三十日には、のちにダブル・イベントと呼ばれる事件が起こり、エリザベス・ストライドとキャサリン・エドウズの切断された死体が発見された。世間は恐慌をきたし、警察は捨て身の捜査をおこなった。

当時、ブラッドハウンドは警察犬としてよく使われていたわけではなく、犯罪者の追跡に必要な訓練を受けている犬はごく少数だったにもかかわらず、嗅覚で逃亡犯を突きとめる能力には定評があった。ブラッドハウンドに対する評価が高い背景には、過去の有名な――ときには誇張された――いくつかの事件があった。一八七六年に子どもが殺害された事件で決定的な証拠を嗅ぎつけたブラッドハウンドの話はその一例だ。そうした過去の事件を警察に思い出させようと、ロンドン市民はスコットランドヤードに直接、あるいは《タイムズ》紙ほかの大衆紙の編集者に手紙を書いた。新聞各紙は読者からの投書をひんぱんに掲載して警察にさらなる圧力をかけ、切り裂き殺人事件の解決を手助けするブラッドハウンドを一頭でも二頭でも雇わせようとした。

こうした圧力にこたえる形でロンドン警視庁は、スカボロー近郊のウィンドゲイトに住む、ブラッドハウンドの名高いブリーダー、エドウィン・ブロウ氏に連絡を取った。警察との交渉がすむと、ブロウ氏はロンドンに来ることを承諾した。彼が連れてきたのはバーナビーとバーゴという堂々たる二頭のブラッドハウンドだった。

バーナビーは、チャンピオン犬のノーブルマンと母犬のブレヴィティとのあいだに生まれた、毛色が黒と黄褐色の四歳のブラッドハウンドで、当時はおもにドッグショーで活躍しており、二年まえのワーウィック・ドッグショーでは、「猟犬同士で人の捜索を競うキャッスル・パーク・ステークス」で入賞していた。[20]バーゴは、マルトレイヴァーズとリップル公爵夫人という名の親犬から生まれた、黒と黄褐色の二歳のブラッドハウンドで、バーナビーのような表舞台での活躍はまだないものの、子犬のころから「きれいな靴」を追跡する訓練を受けていたので、手がかりとなる血やその

ヴィクトリア朝時代のブラッドハウンドは、通常は警察犬として使われていないのに、犯罪者の追跡に関して伝説的な評価を得ていた。
［作者不詳（版画）、エドウィン・ヘンリー・ランドシーア卿（原画）『重い首輪をつけたブラッドハウンド』19世紀］

ほかの強烈なにおいがついていない靴を履いている人間の跡も追うことができた。[21]

一八八八年十月八日午前七時、ブロウ氏は、ロンドン警視庁の最初の試験を受けさせるために、バーナビーとバーゴをリージェンツ・パークに連れていった。その日、リージェンツ・パークの地面はあますところなく霜に覆われていたが、バーナビーとバーゴは、自分たちより十五分早く公園にはいった若者の約一マイル（約一・六キロ）の追跡に成功した。

同日の夜、二頭のブラッドハウンドはべつの試験のためにハイド・パークへ連れていかれた。そのときの様子が一八八八年十月十日付の《ダンディー・クーリエ》紙の記事に残されている。

「当然ながら、あたりは暗かった。二頭は、ホワイトチャペルで働くことになった場合と同じように、鎖につながれて捜索にあたった。彼らはまたしても与えられた任務を成功させた。昨日の午前七時には、チャールズ・ウォーレン卿をまえにして試験がおこなわれている」

チャールズ・ウォーレン卿は、当時ロンドンでかなりの物議をかもしていた人物だった。一八八六年から一八八八年までロンドン警視庁の警視総監を務め、切り裂きジャックの逮捕ができないことを批判されるだけでなく、逮捕をめざして採用した手法も嘲笑を浴びていた。

一八八八年十月九日の朝、バーナビーとバーゴはチャールズ・ウォーレン卿の試験に挑み、報道陣はほんのわずかな失敗でもあれば報じてやろうと、固唾《かたず》をのんで見守った。しかし、その日集まった新聞記者は、バーナビーとバーゴが六回の試験すべてに合格したことを認めざるをえなかった――そのうちの二回はチャールズ・ウォーレン卿自身が追われる役を演じていた。一八八八年十月十日付の《ヨークシャー・ポスト・アンド・リーズ・インテリジェンサー》紙はこう報じている。

「いずれのケースでも二頭はまったく知らない人間を追跡した。ときに道が交差したところにさしかかることもあった。そうした場合は一時的に動きを抑止されるが、どちらかの犬がふたたび臭跡を嗅ぎわける。距離の長い回では、半分まで行ったところで鎖を引かれて動きを止められた。すると、バーゴは走って戻ったが、バーナビーは新たな視線を前方に投げて追跡を再開し、獲物を一気に追いつめた。彼はこれを主人の助けをいっさい借りずにやってのけた。主人はバーナビーがまちがった方向に進んでいると思いつつも、彼の判断にまかせたのだ。昨日の朝はあるかなしかの臭跡を追った結果として、二頭の動きは非常にゆっくりだったが、痕跡がありさえすれば、まったく知らない人間の跡を追うことも可能だと証明してみせた」

チャールズ・ウォーレン卿はこの試験の結果におおいに満足し、バーナビーとバーゴをいつでも出動できる状態で待機させておくことにした。もし、つぎの殺人が起きたら、すぐに呼び出しをかけて

1888年発行の《ペニー・イラストレイテッド・ペーパー》紙に掲載されたバーナビーとバーゴの挿絵。［『チャールズ・ウォーレン卿の新たな犯人追跡班── 訓練を受けるブロウ氏のブラッドハウンドたち』19世紀］

「三十分以内に」にホワイトチャペルに到着させるつもりだった。[22]

切り裂きジャックの追跡にブラッドハウンドを使う計画には、非難の声もあがった。たとえば、一八八八年十月八日付の《セント・ジェイムズ・ガゼット》紙に掲載された投書には、ブラッドハウンドは単に「趣味で飼う犬」なのだから、探偵がわりに使うにはふさわしくないとある。一方、一八八八年十月九日付の同紙の記事は、切り裂きジャックがふたたび殺人を犯さないかぎり、ブラッドハウンドの使い道はないだろうと指摘している。

切り裂きジャック当人も、ブラッドハウンドの使用について軽く苦言を呈した。十月十二日、切り裂きジャックを名乗る人物から、チャールズ・ウォーレン卿にこんな手紙が届いた。「親愛なる警視総監殿、わたしをつかまえるために、こんどはブラッドハウンドを雇ったそうですね」

こうしたもろもろの不安材料に加えて、バーナビーとバーゴがうっかり無実の人に疑いをかけてしまうのではないかという懸念も当然ながらあった。一八八八年十月九日付の《セント・ジェイムズ・ガゼット》は、二頭のブラッドハウンドが本物の殺人犯をつかまえるよりも、「無実のバター売りを追いつめる」、あるいは「猫肉屋」を探しあてる可能性のほうが高いとさえ言いきっている。深く懸念されたのは犬たちのミスそのものではなく、彼らに誤認された無実の人が怒り狂ったホワイトチャペルの住民に襲われ、たちどころに八つ裂きにされるという事態だ。これは現実に起こりうることだった。ホワイトチャペルの住民は恐怖と憤りを感じており、警察の捜査が進展しないことに業を煮やしていた。私的制裁を加えてやろうという空気が満ち満ちていた。

残念ながら、バーナビーとバーゴが実力を発揮する機会は訪れなかった。リージェンツ・パークでの試験がすむと、ブロウ氏は有無を言わせずウィンドゲイトに帰され、バーゴはドッグショーに出場するためにブライトンへ送られた。バーナビーはブロウ氏の友人のトーントン氏にあずけられ、しばらくロンドンに残った。

十月末、レマン・ストリート警察署からトーントン氏に、侵入窃盗犯の追跡のためにバーナビーの協力を要請する電報が届いた。トーントン氏は応じた。その後、彼がこのことをブロウ氏に手紙で報告すると、ブロウ氏はやるせない気分になり、バーナビーを「すぐに送り返してくれ」と電報を打った。警察が強盗の捜索にバーナビーを使っていることが犯罪の地下組織に知られたら、毒でも盛られかねないからだ。[23]

それから二週間も経たない一八八八年十一月九日、ミラーズ・コート十三番地の下宿部屋で、メアリー・ジェーン・ケリーが殺害された。チャールズ・ウォーレン卿はそれ以前から、万が一また殺人が起きた場合には、ブラッドハウンドがにおいを嗅ぎわけるまで現場を乱さぬようにと命じていた。アバーライン警部は現場の封鎖を命じ、警官たちは部屋の外に配備された。二時間待ったあげく、アバーライン警部はブラッドハウンド二頭がもうロンドンにはいないことを知らされた。大切な犬たちを切り裂きジャックに毒殺でもされたらたまらないと思ったブロウ氏が、二週間まえにバーナビーとバーゴをスカボローに連れ帰っていたのだ。

切り裂きジャックの正体については諸説紛々だが、このホワイトチャペル殺人事件が正式に解決にいたることはなかった。もしバーナビーとバーゴが当初の計画どおり捜査に使われていたら、十一月のあの運命の朝、メアリー・ケリーの下宿まで付き添ってきた謎の男を突き止められていたかもしれない。いまだにそう信じている人もいる。ブロウ氏自身はこうした考え方に懐疑的だった。後年のインタビューで彼は、バーナビーとバーゴの能力には自信があったけれども、「あの新手法はあまり信用していなかった」と述べている。[24]

とはいえ、ブラッドハウンドたちが抑止効果になったのはたしからしいと、ブロウ氏はそのあとすぐに指摘した。結局のところ切り裂きジャックは、バーナビーとバーゴがロンドンにいるうちはさらなる犯行におよばなかった。史上もっとも凶悪な連続殺人鬼がふたたび殺人を犯したのは、二頭の有名なブラッドハウンドがスカボローに永久に連れ戻されたあとなのだ。

亡き飼い主の部屋のドアのまえに佇《たたず》む忠犬。[エミリー・メアリー・オズボーン『最期の別れ』1864年]

9章 嘆き悲しむ動物たち

「墓所はいつものように閉められていたが、翌朝、新たに土を盛った塚に〝ボビー〟という名の犬が体を横たえているのが見受けられた」

《ロンドン・イヴニング・スタンダード》紙　一八六七年四月十六日

人間の感情を動物にあてはめるのは科学的ではなく感傷的だというのが、十九世紀の一般的な考え方だった。にもかかわらず、主人の墓で衰弱していく犬、女主人の死をきっかけに飲まず食わずになった猫、さらには自殺した猿まで、さまざまなペットの話が摂政時代とヴィクトリア朝時代に報じられている。その多くは実際には感傷にひたるような記事でしかなかったが、なかには悲しみに打ちひしがれる動物の行動を哀切な筆致で報じた記事もあった。

十九世紀に伝えられた嘆き悲しむ動物の話でよく知られているのは犬に関するものが多く、もっとも有名なのがグレイフライアーズ・ボビーの逸話だろう。ボビーは小型のテリア犬だった（〝スコッチ〟・テリアと呼ばれることもあれば、スカイ・テリアあるいはダンディー・ディンモント・テリアのミックスと呼ばれることもある）。飼い主は一八五〇年代後半に世を去り、その後、エディンバ

幼い子の死を悲しむ犬の姿を哀切に描いたヴィクトリア朝時代の絵画。［ジェームズ・アーチャー『幼き主人を悼む犬』1866年］

ラのグレイフライアーズ教会の墓地に埋葬された。会葬者のなかにボビーもいたが、葬儀が終わっても彼は教会墓地から離れず、主人の墓を見守りつづけたと言われている。伝説では、ボビーはそれから十四年間、「天候にかかわらず」毎晩、墓の上に横たわって見守りを続け、ある凍てつく冬の朝に死んでいるのを発見された。「老衰と寒さによる死」だった。[25]

　主人に一身を捧げつくしたボビーの物語は、これまでに何度か疑問を投げかけられてきた。それどころか、そもそもボビーは実在しなかったと主張した当時の新聞も数紙ある。ほかにも、ボビーは亡き主人を偲ぶ忠犬などではなく、グレイフライアーズの教会墓地に迷いこんだ野良犬で、墓守に親切にしてもらったから住みついたのだと書いた新聞もある。

　しかし、ボビーの話がどこまで事実かどう

かはともかく、ボビーほど有名でなくても同じように主人の死を悼んだ犬たちはほかにもたくさんいて、十九世紀の新聞には似たような逸話が定期的に報じられていた。一八四九年二月十日付の《ノーフォーク・ニュース》紙に載った、女主人が死の病を患ったスパニエル犬の記事もその一例だ。スパニエルは「ときおりもの悲しい吠え声をあげながら」、主人が息絶えるまでベッドにいたという。

女主人の死後、スパニエルの悲しみは増すばかりだった。病床にある主人を眠らずに見守りつづけた彼は、柩にも寄り添って不寝《ねず》の番をしていたから、「餌を運んでやらなければ飢え死にしていただろう」と書かれている。葬儀の当日、教会墓地へ向かう葬列のなかにスパニエルもいた。そのあと姿を消し、真夜中をゆうに過ぎてからふたたび姿を見せた。「体じゅう土まみれ」で「疲労困憊《こんぱい》」し、主人の家の玄関ドアを引っかいているところを発見されたのだ。新聞はこう報じた。

「彼が主人の墓を訪れ、大量の土を掘り返していたことが、翌日になって判明した。なんとか柩までたどり着こうとしたようだ。いまは餌を与えても拒んでいて、文字どおり瀕死の状態にある」

べつの逸話には、グレイフライアーズ・ボビーと同じように、主人の墓の番を二年間続けた犬が登場する。こちらの例では、その雄犬は主人が埋葬された日から、墓のそばの薄暗い小さな洞窟へ通じる「狭い隙間」を住まいとした。いったんそこにはいると、悲しそうに体をまるめて何日も出

19世紀に撮影されたグレイフライアーズ・ボビーの写真。[『グレイフライアーズ・ボビー』19世紀]

てこなかった。[26] 教会墓地の向かいの家に住む紳士が、この哀れな犬をふびんに思い、餌を与えるようになった。ただ、犬に餌を食べさせることはできても、主人の墓から長く引き離しておく手立てがなかった。一八五八年十二月二十八日付の《ノーザン・ウィッグ》紙には、その状態が詳述されている。

「彼は急いで餌をたいらげると、恩人を一瞬じっと見つめるのだった。それは意味ありげな、だが誤解しようのないまなざしで、傷ついた心があらわせる精いっぱいの感謝を伝えていた。そしてまた隙間に引きこもり、三日も四日も外に出てこない。ようやく這い出てきたときには目は落ちくぼみ、毛はぼさぼさになっている。そうやって二年間、亡き主人の記憶に誠意を尽くしたあと、行方知れずの数日をはさんで、自分の隠遁場所で死んでいるのを発見された」

猫は十九世紀には犬ほどの人気がなく、気高い性質に恵まれているとも言いがたかった。それでも、十九世紀の人々は、主人と強い絆で結ばれている猫はけっして珍しくなく、主人を亡くしたときには犬と同様に悲嘆に暮れることもできると認めないわけにはいかなかった。一八八七年三月十二日付の《リーズ・タイムズ》紙は、女主人の墓の上に「体を伸ばした状態で死んでいる」のを発見された猫の記事を載せ、「悲しみのあまり」息絶えたようだと書いている。

飼い猫をとてもかわいがっていた幼い男の子の記事もある。男の子の病気が悪化すると、その雌猫は「献身的に寄り添った」[27]。男の子がその後、息を引き取ったときの嘆きは見るも哀れだった。猫は家から姿を消し、毎晩夕食のときだけ戻ってきた。あとからわかったことだが、それ以外の時間はずっと男の子の墓で過ごしていた。それから五年間、悲しむ猫も連れて家族がべつの町へ引っ越すまで、その痛ましい追悼は続いた。

十九世紀の記事で扱われた動物の嘆きは、人間の主人の死を悼むペットの話にとどまらなかった。当時の新聞や雑誌の多くが、仲間を亡くした悲しみに暮れる動物の話も記事にしていた。一八四五年五月二十九日付の《デヴァイゼス・アンド・ウィルトシャー・ガゼット》紙には、半島戦争（ナポレオン一世のイベリア半島侵略に対するスペインの抗戦。スペイン独立戦争とも呼ばれる。一八〇八～一四年）に従軍した二頭の馬の話が掲載された。同じ大砲をひいた二頭は、「幾多の戦闘を通じて離れがたい相棒」になっていた。

一方の馬が戦場で命を落とすと、生き残った馬はいつもどおり厩舎に戻されて馬房に入れられたが、餌が運ばれても食べるのを拒否した。その馬はひっきりなしに周囲を見まわして失った相棒を捜し、「ときおり呼びかけるかのようにいないないた」という。ほかの馬の存在も兵士たちの愛情のこもった世話も最後まで慰めにはならず、馬は友の死後ひとくちも餌を食べることなく数日後に死んだ。

動物の嘆きは、餌や住まいを拒むという受動的な拒絶をこえて、みずから死に急ぐという能動的な行動にまで進む場合もあったと、十九世紀の一部の人々は信じていた。つまり、動物が自殺するというのである。一八八九年五月四日付の《スター》紙に、非常によく訓練された猿をペットにしていたパリの紳士の記事が掲載された。鬱状態にあった紳士は銃で自分の頭を撃ち抜いて命を絶った。不運な猿は主人が自殺したときにそばにいて、その一部始終を見ていた。

後刻、紳士の死亡確認にやってきた医師は、主人の遺体のとなりに横たわる哀れな猿を見つけた。猿は「リボルバーを握りしめて」事切れていた。猿は主人の行動をまねてリボルバーを手に取り、自分の脳みそを吹っ飛ばしたのだ。

現代から見れば、この事件は《スター》の記述にある「心中」でも「悲嘆による自殺」でもなく、単なる模倣と思われるが、いずれにせよ、動物の行動を人間の感情におきかえて解釈しようとする十九世紀の風潮をわかりやすくしめしている。だからといって、十九世紀の動物の嘆きや悲しみに関するすべての記事が擬人化でしかなかったということになるだろうか？　まったくそうではない。十九世紀の多くの人が最初から感じとっていたことを、現代の動物行動学の専門家が証明している。人間が感じ、愛し、悲しむのと同じように、どんな動物にもそれぞれのやり方で深く感じ、愛し、悲しむ能力がそなわっているのだと。

エドウィン・ヘンリー・ランドシーア卿は、会葬者が去ったあともずっと主人の柩のそばを離れない忠犬の姿を描いた。[エドウィン・ヘンリー・ランドシーア卿『老シェパードの喪主』1837年]

第2部

猫

おしゃれな淑女は、肖像画を描いてもらうときに愛猫を抱いてポーズを取ることがあった。［ジャン＝バプティスト・ペロノー『マグダレーヌ・パンスルー・ドゥ・ラ・グランジュ、旧姓パルスヴァル』1747年］

10章 サミュエル・ジョンソンの愛猫

「じつにりっぱ猫だ、まったくもってりっぱな猫だ」
ジェイムズ・ボズウェル、『サミュエル・ジョンソン伝3』
（みすず書房、一九八三年、中野好之訳ほか）

十八世紀の著名な詩人にして随筆家、道徳家、辞書編纂者でもあったサミュエル・ジョンソン博士は、その温厚な人柄をつとに知られた人物だった。ジョンソンは幼い子どもをこよなく愛し、自分の「かわいい子ら」と呼んで甘い菓子を惜しみなく与えるだけでなく、使用人にも深い思いやりと心からの配慮をしめしていた。[28]もっとも、彼が優しさや気配りをしめす相手は人間とはかぎらなかった。動物に向ける愛情も深いジョンソンは、自宅で飼っている動物をことのほかかわいがっていた。なかでもお気に入りだったのがホッジという名の雄猫である。

過去二百年のあいだにホッジに関して書かれた事柄の大半は、ジェイムズ・ボズウェル著、一七九一年刊の伝記、『サミュエル・ジョンソン伝』のなかの数ヵ所の短い記述がもとになっている。ボズウェルはジョンソンと同時代を生きた人で、ホッジと会う機会もあった。ボズウェル自身は猫があまり好きではなく、むしろ「嫌悪感」すらあって、猫が部屋にはいってくるといつも「不安」を覚えたと告白している。だから、ホッジが「さも満足げにジョンソン博士の胸をよじのぼり」、ジョンソンが笑顔で「軽く口笛を吹きながら、猫の背中を撫でたり、しっぽを引っぱったりしている」のを見るのは「ひどく苦痛」だった。

　これほど猫嫌いのボズウェルも、ホッジが「りっぱな猫」だと認めることはいとわなかった。ボズウェルのこの言葉を受けてジョンソンが口にしたのが、冒頭に引いた有名な返答だ。

「そりゃそうだよ、きみ。だが、これまでにはもっと気に入っていた猫もいるんだ〟とこたえてから、ホッジが機嫌をそこねたのを感じたのか、こう言い足した。〝だが、こいつはじつにりっぱな猫だ、まったくもってりっぱな猫だ」

　ボズウェルによれば、ジョンソンはなんとも嬉しそうにホッジを甘やかしていた。ジョンソンはフリート・ストリート（ロンドン中心部の新聞街）からちょっとはいったところにある自宅の各部屋をホッジが自由に走りまわるのを許し、贅沢なごちそうで誘惑した。ホッジの大好物だった牡蠣《かき》は、ジョンソンみずからが市場に出向いて調達していた。使用人にその買い出しを命じれば、よけいな仕事を増やされたとしてホッジに腹を立てるかもしれないと案じたからだ。

　ジョンソンの愛猫はホッジだけではなかった。リリーという名の「白い子猫」をはじめとして、彼

サミュエル・ジョンソンは、1755年刊の『英語辞典』でよく知られている。［ウィリアム・ダウティー（版画）、ジョシュア・レイノルズ卿（原画）『サミュエル・ジョンソン』1779年］

スコットランドの伝記作家ジェイムズ・ボズウェルの肖像画。ボズウェルは1791年に出版されたサミュエル・ジョンソンの伝記で、猫のホッジについて書いた。［ジョン・ジョーンズ（版画）、ジョシュア・レイノルズ卿（原画）『オーキンレック郷士のジェイムズ・ボズウェル』1786年］

は長年にわたって何匹もの猫をペットにしていた。[29]どの猫にも深い愛情を傾け、親身になって守ろうとした。あるときジョンソンは、家政婦のまえで飼い猫を叩いた妻を、「虐待の先例となってはいけない」と考えて叱責した。[30]またあるときには、「町を駆けまわって猫を撃ち殺すこと」に専念している「家柄のよい若き紳士の見下げ果てたありさま」は不快だと述べた。[31]ボズウェルはこのエピソードを紹介したあと、ジョンソンが「情け深い瞑想」にふけったことも書き添えている。そうして想像をめぐらしながら自分の愛猫に思いがいたると、きっぱりとこう言った。「だが、ホッジは撃たれない、断じて撃たれない。ホッジが撃たれるようなことがあってたまるものか」

ボズウェルによる伝記でホッジに触れている部分は以上だが、ホッジは詩人のパーシヴァル・ストックデイルの一八〇九年刊の回想録にも登場する。そこではジョンソンの溺愛ぶりがこんなふうに書かれている。

「ジョンソン博士のいかめしい面差しがやわらいで慈しみの微笑みが広がるのを、何度も目にした。それは彼のお気に入りのホッジの、言葉はなくとも感情豊かな表現のなせるわざだった……」

ホッジの死亡日に関しては複数の説があり、それらの情報源をたどると一七六四年から一七七三年のあいだのどこかということになる。ジョンソンがホッジの最期を看取ったのはたしかで、ホッジの痛みをやわらげるために、鎮静作用のあるカノコソウという薬草を手に入れ、投与もしている。
ストックデイルはホッジの死に際して敬意を表し、「ジョンソン博士の愛猫の死に捧げる哀歌」と題する追悼詩を発表した。この哀歌によってはじめて、ホッジの外見を想像する手がかりがわたしたちに与えられる。ストックデイルはこう綴っている。

「主人に愛撫されれば
心から感謝を伝えたのはだれ？
クロテンのごときその毛を撫でられれば、
いつでも喉を鳴らしてこたえたのはだれ？」

一九九七年、ロンドンのゴフ・スクエアにホッジを偲ぶブロンズ像が建てられた。彫刻家のジョン・ビックリーが制作したこの像のホッジは、ジョンソンの『英語辞典』の上に座り、足もとには中身のない牡蠣の殻が置かれている。台座の銘板には「ゴフ・スクエアに住むサミュエル・ジョンソン（一七〇九～八四年）に飼われていた、じつにりっぱな猫のホッジ」とある。

動物画家ヘンリエッタ・ロナー＝クニップによる19世紀のこの絵画には、ドミノをはたく黒と白のぶちの子猫が描かれている。［ヘンリエッタ・ロナー＝クニップ『子猫の遊び』1860-78年頃］

水晶宮で開催された初のキャットショーでは、ペルシャ、シャム、そしてフランスの著名な動物画家ローザ・ボヌールが1850年に描いたこの絵にどことなく似た山猫など、さまざまな種類の珍しい猫が披露された。[ローザ・ボヌール『山猫』1850年]

11章

水晶宮のキャットショー

「キャットショーは、独身女性の後援のもとに開催されるべきであり、審査員も未婚の婦人から選出されるべきである」

《バーミンガム・デイリー・メール》紙　一八七一年五月十五日

一八七一年、愛猫家のハリソン・ウィアーの呼びかけにより、初のキャットショーがイングランドで開催された。そのコンセプトは斬新だった。当時は猫の血統登録というものが存在せず、猫を審査する厳密な基準はなにもなかったのだが、ウィアーは圧倒的な説得力で働きかけた。彼はロンドン郊外のシデナムにある水晶宮の支配人にはじめて話をもちこんでから数日以内に、完璧な企画書を提出した。そこには賞の一覧、参加費、部門数、猫を審査するポイントが書きこまれていた。

猫は、色、形、大きさ、雌雄によって分類されることになった。ぶち猫やさび猫のように毛色の模様も分類基準とされた。あとはショーに参加する猫を見つけるだけだ。打診できるブリーダーがいるわけではないし、わずかな時間でも飼い猫と進んで別れようという人は少なかったから、ウィアーは水晶宮の担当者とともに「公道や脇道に繰り出し、見栄えのよい猫を探した[32]」。

しかし、彼らの努力もむなしく、猫の数はキャットショーの開催に必要な定数に達しなかった。この不足をどう解決したかは、一八九一年発行の《ピアソンズ・マガジン》誌にしるされている。記事の一部を抜粋する。

「するとだれかが、宮殿の地下室には猫も子猫もネズミもいくらでもいると気がついたので、数人の労働者が猫狩りに向かわされた。労働者たちは自分が飼っている猫もショーに連れてきた」

家庭で飼われている猫に加え、珍しい種類や外国産の猫も出陣された。アイリッシュ海に浮かぶマン島のマンクスもいれば、「ペルシャから直送された」ペルシャ猫もいた。「ショーでいちばん大

1871年に水晶宮で開催されたキャットショーのビラに描かれた黒猫の頭部のスケッチ。[『水晶宮キャットショーの広告に使用された猫の頭部のスケッチ』1871年]

水晶宮はもともと、1851年のロンドン万国博覧会の会場としてハイド・パークに建てられた。［E・J・スタンレー『ハイド・パークの水晶宮』1852年］

きい猫」と報じられた、体重二〇ポンド（約九・一キロ）のイングランド猫もいた。[33] 特筆すべきは、英国では初お目見えとなる二匹のシャム猫も出陳されていたことだ。一八七一年発行の《ハーパーズ・ウィークリー》誌に、この二匹のくわしい描写がある。

「漆黒の四肢をもつ、やわらかな鹿毛《かげ》色の生き物——悪夢じみた摩訶不思議な猫。なめらかな皮膚、先端が黒い耳、青い目のなかの赤い瞳。そこには類のない優雅さがある」

おそらくキャットショーでもっとも注目を浴びたのは、サザーランド公爵が出品した英国産のヤマネコだろう。《ハーパーズ・ウィークリー》によると、この品種のヤマネコはブリテン諸島ではほぼ絶滅していた。公爵の猫は正真正銘の野生の猫

1871年発行の《ペニー・イラストレイテッド・ペーパー》のこの挿絵では、水晶宮の第1回キャットショーに訪れた客が、受賞した猫たちに見とれている。[『水晶宮でのキャットショー』《ペニー・イラストレイテッド・ペーパー》1871年7月22日]

だったことが、同誌の記事からうかがえる。

「その雄猫の動きはさながら狂った悪魔のようだった。十人がかりでも、輸送されてきた箱から金網のケージに移し入れることができなかった」

一八七一年発行の《リッピンコッツ・マンスリー・マガジン》誌によれば、水晶宮のキャットショーに出陳された猫は二百十一匹、その多くが「飼われている家の暖炉のまえから無理やり連れてこられた」猫だった。《ハーパーズ・ウィークリー》は、出陳された猫の数を《リッピンコッツ・マンスリー・マガジン》より少ない百六十匹としている。正確な数はともかく、百五十匹以上の猫をケージに入れたまま一般公開することがショーの大前提となっていたのだ。

前面が金網張りのケージが背中合わせに二列に配置された。見物客は長い行列をつくって会場に誘導されると、警官の監視のもとに一列ずつゆっくりと歩かされた。《リッピンコッツ・マンスリー・マガジン》にその様子がこう書かれている。

「魅惑的な猫のまえを離れようとしない見物客がひとりでもいると、監視の警官が、ここはロンドンの路上かというような大声で、〝進め！〟と注意した」

Manx, or Tailless Cat
British Wild Cat

Persian Cat
English Cat—the Biggest in the Show

Siamese Cats
French-African Cat

PRIZE CATS

1871年発行の《ザ・グラフィック》の挿絵には、第1回キャットショーに参加した猫たちの一部――マンクス、ペルシャ、2匹のシャム、フレンチ・アフリカン、英国産のヤマネコ、ショーでいちばん大きい猫とされたイングランド猫――が描かれている。［ホレース・ダウニー・ハラル（版画）、パーシー・マッコイド（原画）『受賞した猫たち』《ザ・グラフィック》1871年7月22日］

ハリソン・ウィアーは、猫たちがこの一時的な監禁状態をなんの不満もなく受け入れていると信じていた。キャットショー当日の朝、水晶宮に到着したときに目にした光景はこうだった。

「猫たちが逃げたがって騒いだりもがいたりすることはなく、みなそれぞれの檻に用意された深紅のクッションにもたれて休んでいた。新鮮なおいしいミルクを与えられるとそのミルクを舐めながら、ときおり親しげに喉を鳴らすぐらいで、それ以外はなんの音もたてなかった[34]」

そのような美しい光景とはちがう光景を報じた記事もある。キャットショーが開催されたのは七月で、夏の暑さが猫の生気を奪い、動作を鈍らせていた。大半の猫は、客に背を向けて寝ていた。猫を見にはるばるやってきた人々はおもしろくなかった。そこで彼らは無反応な猫たちの目を覚まさせようと、指や杖で、さらには日傘の先でも猫の体をつついた。ある記事にはこう書かれている。

「人々は指や日傘の先でしつこく猫を挑発しつづけたので、たまりかねて〝恥知らずめ！〟と叫ぶ人も現れた。もっとも、当の猫たちはむしろ喜んでいたというのが、われわれのおおむね一致した意見だった。つつかれるのが退屈しのぎになっていたようだ[35]」

猫の鈍い動作ばかりでなく、一部の猫の平凡な容姿に対する苦情も多かった。このあとに紹介する《リッピンコッツ・マンスリー・マガジン》の執筆者、プレンティス・マルフォードの文章はとくに辛辣だ。その行間を読めば、彼の憤懣《ふんまん》は、キャットショーに参加した労働者階級の人間たちと、同じく下層階級の猫たちの双方に向けられていると思わざるをえない。マルフォードはこんなふうに書いている。

「なかには、ロンドンの応接間より地下室になじんでいると見受けられる、はなはだみすぼらしい姿の猫もいた。彼らはネコ科の序列では下位の猫だった。都会でよく見かけるあの階層の者たち、建物の一部が焼けて黒焦げになったアパートメントで昼間から寝ている連中に見えた。ごわついて汚らしい毛、しょぼついて潤んだ目。自分を卑下して、品格も自尊心もない……」

こうしたみすぼらしい猫たちの飼い主である貧しい労働者階級の人々は、キャットショーに自分のペットを出陳するよう説得されたときに、水晶宮の担当者が提示した総額七十ポンド以上という賞金のいくらかでももらえることを期待したにちがいない。賞はおもに現金で授与された。しかし、飼い猫に「優しくすることを貧しい人々に奨励するために」、そして「餌をたっぷりやることをうながすために」、特別賞を与えようと申し出た婦人たちもいた。[36] そうした特別賞では、やかん、ティーポット、マグカップ、猫の額入り写真といった、がらくたに近いものが賞品になった。

キャットショーが幕をおろすと、《ハーパーズ・ウィークリー》は「見事な成功例」と称え、この

水晶宮のキャットショーは大人気を博したため、翌年も開催された。[『水晶宮キャットショー』《ペニー・イラストレイテッド・ペーパー》1872年5月18日]

催しはたちどころに模倣されて、全国各地でキャットショーが開かれるだろうと予測した。予測はあたった。水晶宮でのキャットショーは毎年恒例の行事となり、来場者も参加者も年を追うごとに増えていった。ほかの会場もこれに続いた。こうした各地のキャットショーは一般大衆の猫に対する認識をおおいに向上させた。残念ながら、華やかなペルシャや艶やかなシャムを高く評価する人はたくさんいても、飼い猫に向けられる偏見はあいかわらず根強かった。

それでも、初のキャットショーの斬新さは大衆の想像力をかきたてた。想像力をかきたてられたのは作家も同様で、多くの作家がキャットショーにまつわるエピソードを作品に取り入れた。ヘンリー・H・B・ポール夫人が一八七七年に発表した『たかが猫*Only a cat*』は、猫自身が語り部となっている。語り部の雄猫はこの本のなかで、キャットショーが自分の種や社会一般の猫の見方にもたらした影響について、つぎのように述べている。

「軽蔑され嫌悪され、残酷な扱いも受けた日々は幸いにも過ぎ去り、いまやわれわれ猫が水晶宮のショーに出陳されていると聞く。そこでじゅうぶんな餌と思いやりを与えられている仲間が身をもって証明しているのは、われわれは敵がでたらめに描いてみせるような、底意地の悪い不誠実な生き物ではないということだ」

一八八七年、ハリソン・ウィアーは〈ナショナル・キャット・クラブ〉を設立した。これが世界初の猫の血統登録機関となり、それから数年のうちにアメリカの〈キャット・ファンシアーズ・アソシエーション（CFA）〉ほか、猫の血統登録機関が続々と誕生した。今日のキャットショーは、ペルシャ、シャムからブリティッシュ・ショートヘア、メインクーンにいたるまで、あらゆる品種の血統書付きの猫であふれ、およそ百三十年まえに水晶宮で催されたキャットショーとは大きく様変わりした光景が繰り広げられている。だが、もし、労働者の飼い猫や地下室で捕獲した猫を寄せ集めた、あの最初のキャットショーが開催されていなければ、現代に生きる純血種の猫たちの世界がどんなふうになっていたかはだれにもわからない。

1875年頃に描かれたこの肖像画の女性はきじ猫を抱いている。[ピエール=オーギュスト・ルノワール『猫を抱く女』1875年頃]

猫が悪さをする姿は、18、19世紀の絵画にたびたび描かれた。[ヘンリエッタ・ロナー=クニップ『音楽家』1876-77年頃]

12章

ヴィクトリア朝時代の猫好き婦人の訴訟

「周知のとおり、老嬢と猫は昔から結びつけられてきた。よくも悪くも両者は人類の大半から一定の疑惑と嫌悪の目を向けられていたのだ」
《ダンディー・クーリエ》紙　一八八〇年十月五日

古くから世の人々は未婚の婦人と猫を切っても切れない関係と考えてきた。このことがとりわけ顕著になったのが十八、十九世紀である。当時の新聞や雑誌は、ペットを溺愛する歳のいった未婚女性を揶揄《やゆ》し、なにかにつけ彼女たちをあげつらった。その内容は猫のために高価な餌を買っているということに始まり、意匠を凝らした猫の結婚式や葬式のような、もっととっぴな浪費にもおよんだ。年配の未婚婦人に向けられた苦情でもっとも目立ったのが、彼女たちの傾向としてあった――多くの場合、友人や家族や隣人の迷惑となる――猫の多頭飼いだった。

一八八六年九月、ミス・アン・ロイドという年配の未婚婦人が、イングランドのソリフル地方衛生局の苦情調査官ウィリアム・ハリスの訴えにより、ソリフル警察裁判所への出廷を命じられた。ミス・ロイドはスパークヒルのランディドノ・ハウスで、自分の姉妹ふたりと多数の猫とともに暮らしていたが、その猫の数がのちに法廷で争点となる。ハリスは、ロイド姉妹の家で発生した猫たちの悪臭が近隣の家々のなかまで達しているのは迷惑行為にあたると主張した。これに対してミス・ロイドは、自分たちは一匹の猫も飼っていないと繰り返し抗弁した。

この問題が新聞や雑誌で最初に取りあげられたのは一八八六年九月だった。ランディドノ・ハウスで異臭がすると、ロイド姉妹の複数の隣人からハリスに苦情が寄せられるようになり、そうした苦情にこたえる形でハリスは同年八月に姉妹を訪ねていた。一八八六年九月二十九日付の《アバーディーン・プレス・アンド・ジャーナル》紙によると、そのときの状況はこんなふうだった。

「家にはいると、あきらかに猫のにおいとわかる強烈な異臭がした。（ハリスは）客間に通されて、しばらくそこにいたが、あまりにひどい悪臭にとうとう耐えきれず、辞去して裏庭に出るしかなかった」

一八八六年九月二十七日付の《ミドルズブラ・デイリー・ガゼット》紙には、客間の異臭はハリスに「吐き気」をもよおさせるほどひどかったとある。同日の《バーミンガム・デイリー・ポスト》紙は、ハリスの証言を引用している。

「ひどいにおいのする場所へはいらなければならなかったことは幾度もあるが、あれほどの悪

未婚婦人のしばしば常軌を逸したペット収集は、18、19世紀を通じて数多くの風刺画の題材になった。[無名画家（G.T.W.）の版画、オーランド・ホジソンにより出版『未婚の婦人と家族』1820-40年頃]

臭は体験したことがないと言わざるをえない。あの部屋にいるあいだ、汗が止まらなかった」

ハリスはのちに、家が不潔だっただけでなく、彼が訪問したとき、姉妹は猫にやるために「魚の臓物」をコンロで煮ていたと語った。自分たちの夕食用のキャベツも煮ていたと。ハリスがいるあいだ、猫たちは家のなかにいなかった。だが、《アバディーン・プレス・アンド・ジャーナル》の記事によると、姉妹の住まいの狭い裏庭へ出たハリスは「大勢の猫」を目にした。《デイリー・ガゼット》にもロイド家の裏庭の様子が書かれている。「……その悪臭たるやすさまじかった。さらに庭に出ると、（ハリスは）六、七匹の猫を目撃した」

この一件が警察裁判所で扱われると、ロイド姉妹の飼っていた猫の正確な数が第一の争点となった。したたかな猫たちはたえず出たりはいったりしていたので、正確には何匹の猫が姉妹の家に住んでいたのか、確信をもって言える証人はひとりもいなかったようだ。《バーミンガム・デイリー・ポスト》の記事には、チャトック判事とハリス調査官のやりとりが紹介されている。

チャトック判事：猫は何匹いましたか？

証人：数えられませんでした。四方八方に動きまわっていましたので。

チャトック判事：数えてみたのですか？

証人：六匹か七匹がわたしの横を走って台所にはいるのを見ました。猫にやるための魚の臓物を鍋ふたつで煮ていたからです。

ハリスはさらに、ランディドノ・ハウスの悪臭は「隣家でもはっきりと嗅ぎとれた」と証言した。おもに悪臭の強さのせいだが、その界隈に建つ家々の粗雑な構造にも問題があった。どの家も安価で粗悪な建材が使われた「安普請」だったので、においは「容易に壁を通り抜けた」。

八月二十二日、ハリスはロイド姉妹に正式な通知を送り、猫の駆除を命じた。ミス・ロイドは当初、自分も姉妹も猫など飼っていないと主張した（裁判になってからはこの主張を繰り返す）。それから、六匹だけ飼っていたが、居場所は裏庭に制限しており、家のなかに入れたことはないと述べるようになった。《デイリー・ガゼット》が伝えるところでは、敷地内で走りまわっているのを目撃された残りの猫はどうなのかとハリスが尋ねると、ミス・ロイドは、「飼っていたのは六匹だけで、（ハリスが）見た残りの猫はみな「お客さん」にすぎないとこたえた。

その後の数週間も隣人からの怒りの手紙が殺到したため、九月十五日、ハリスはまたもランディドノ・ハウスを訪ねることを余儀なくされ、悪臭がいっこうに改善されていないと確認した。こうした経緯でロイド姉妹に対して、裁判所に出廷して治安判事の尋問にこたえよとの命令が出された

《イラストレイテッド・ポリス・ニュース》に描かれた、1867年の猫の多頭飼育事件。
［『驚愕の猫コレクション』《イラストレイテッド・ポリス・ニュース》1867年6月1日］

のだった。

ハリスは法廷で、ロイド姉妹の家の状態や胸をむかつかせる悪臭について、詳細に証言した。同時に彼は自分の意見として、ロイド姉妹がおこなっていることは、近隣の少年たちに虐待された猫のための病院の役割も果たしていると述べた。この持論を法廷がどう受け止めたかはわからない。というのも、報道のほとんどが悪臭のおぞましさに焦点を合わせているように思えるのだ。ロイド姉妹の隣人のひとりであるオースティン氏の証言も、その目的にかなっていた。

「昼も夜も臭くてたまらず、彼は家のなかではほとんど生活できなかった。姉妹のだれかを見かけると苦情を言ったが、効果はまったくなかった。悪臭がひどいので証人はしかたなく、夜はドアと窓をすべて開けて寝ていたが、敷地内のいたるところに悪臭は漂っていた。ミス・ロイドにそのことを話すと、猫は一匹も飼っていないと断言された[37]」

ミス・ロイドは憤慨し、何度も証言をさえぎって証人に非難を浴びせた。一度などはオースティンに向かってこう言ったと、《バーミンガム・デイリー・ポスト》は報じている。

「よくもそんな嘘をついて、わたしたちをとことん傷つけることができるわね。あなたは家のなかにいた妹を呼びつけたんじゃないの。それに、誓って言いますけど、うちでは一匹だって猫を飼っていません」

オースティンの証言中にミス・ロイドが割りこんだべつの例はこうだ。

「だれにも飼われていない、そして我が家にはいったこともない猫のにおいが、あなたの家の壁を通して嗅げるなんて、ありえないことだわ」

自身の証人を求める機会が与えられると、ミス・ロイドはホワイト巡査――裁判所からの召喚状を届けた警官――を証人に立てた。警官が、ここまでの証言で述べられたほど臭くはなかったと言ってくれるだろうという期待があったのだが、残念ながらホワイトの証言は、気の毒なミス・ロイドにとってこのうえもなく屈辱的なものとなる。以下は《バーミンガム・デイリー・ポスト》が報じたチャトック判事とホワイト巡査のやりとりだ。

チャトック判事（証人に向かって）：強烈な悪臭があったと言えますか？

証人：はい、ありましたが、判事どの、それがなんのにおいだったかはわかりかねます。ご婦人がたの体臭かもしれないとも思っておりました。

このあと傍聴席から大笑いが起こった――治安判事本人も笑いだした。ミス・ロイドの訴訟事件にとって、けっして幸先のよい反応ではなかった。彼女をだしにした笑いをすませると、チャトック判事は、迷惑を解消する機会をもう一度ミス・ロイドと彼女の姉妹に与えるため、十月九日まで休廷したいと申し出た。しかし、ミス・ロイドが、迷惑は発生していないという主張を続けると、「判事の権限で十日以内の迷惑の解消を命じた」。

結局、ロイド姉妹は、少なくとも指定された十日以内に判事の命令に従わなかった。一八八六年十二月六日付の《バーミンガム・デイリー・ポスト》は、同じソリフル警察裁判所で扱われたべつの訴訟、ミス・ロイド対隣人のオースティン氏の事件も報じている。オースティンは、「十一月十四日、スパークヒルのランディドノ・ヴィラ（ランディドノ・ハウスのこと）に住むアン・ロイドの猫に対する不法な殴打および虐待」をおこなったとして、バーミンガム動物虐待防止協会の調査官の要請により、裁判所から召喚されていた。

この訴訟では、ミス・ロイドはもはや家に猫がいたことを否定していない。それどころか、虐待を受けた野良猫たちを引き取り、健康が回復するまで世話をしてから、飼ってくれる家を探していたのだと主張した。オースティン氏と猫の虐待に関するこちらの訴訟では、オースティンによるミス・ロイドの猫への殴打が裁判所で認められても、オースティンは訴訟費用の支払いを命じられただけで、その罪に対する罰金を科せられなかった。しかも、ロイド姉妹と猫たちについての証言はまたも法廷での爆笑を誘った。

ランディドノ・ハウスを猫屋敷にした年配で未婚の姉妹たちの訴訟は、ヴィクトリア朝時代には「異常な関心」を引いたが、老嬢と飼い猫にまつわる訴訟としてはとりたてて異色というわけではなかった。[38] 猫が原因で発生する迷惑に近隣住民から苦情が寄せられることはまれではなく、それが裁判沙汰にまでなると、大衆はそのなりゆきをおおいに楽しみながら見守った。年配の独身女性――場合によっては、年配の独身男性――がエキセントリックに主張すればするほど、法廷では大きな笑いが起こった。

しかし、十九世紀が終わりに近づくにつれ、法廷とヴィクトリア朝時代の大衆のどちらも、動物に関連する問題をおもしろがって見る態度を改めていった。法律が制定され、動物福祉団体が結成され、さまざまな動物保護施設がつくられた。一八九五年にロンドン西部のハマースミスのゴードン・コテージに設けられた〈飢えた捨て猫の家〉、一八九六年にカムデン・タウンにできた〈飢えた猫のための王立協会〉などがそうである。それでも、老嬢と猫の一般的なイメージは、二十世紀にはいってからも長く続いた。

1887年制作のこの絵には、草地で獲物を狙う黒と白のぶち猫が描かれている。
［ブルーノ・リリエフォッシュ『花咲く草地の猫』1887年］

熱いミルクが冷めるのを辛抱づよく待つ4匹の猫。
［エリザベス・ボンソール『ホットミルク』1896年］

13章

ヴィクトリア朝時代の猫の葬儀

「美しい真鍮の飾りがほどこされ、絹とウールの裏地が張られたオークの柩に、猫の亡骸が手厚く納められ、三日間、客間に安置された」
《ハル・デイリー・メール》紙　一八九七年四月一日

ヴィクトリア朝時代の人々の死への憧れは、贅沢な葬儀、黒枠のある便箋や封筒、服喪の衣装や装飾品など、趣向を凝らした哀悼のしきたりからよくわかる。だが、このような服喪の儀式は人間の死者にのみ敬意を表しておこなわれたのではなく、死んだペットのためにおこなわれることもあった。ヴィクトリア朝時代の動物好きは、村でいちばん貧しい老嬢からヴィクトリア女王その人まで社会の階級を問わず、天国へ旅立ったお気に入りのペットのために葬儀をしたり、いまは亡き愛する友のために墓碑や記念碑を建てたりした。

ヴィクトリア朝時代、死後に埋葬と哀悼がおこなわれた動物のなかでも、葬儀という名誉にあずかることがもっとも多いのは犬だった。といっても、猫が冷遇されていたわけではなく、愛する猫を失った飼い主は葬儀屋に猫用の柩を注文したし、聖職者は猫の埋葬式を執りおこなった。石工は墓に猫の名前を刻んだ。たいていの人はこの類いの儀式を物好きな金持ちのふるまい、あるいは老嬢の奇行と見なしたが、なかには、どんな動物であれ死んだらキリスト教のもとで埋葬されるべきだと憤る人もいた。

一八九四年三月十日、《チェルトナム・クロニクル》紙は、ケンジントンに住む「有名な」婦人が、飼い猫のポールのためにおこなった葬儀を記事にした。まるで「それ相応の社会的地位にある人物の埋葬」のごときこの葬儀について、同紙はつぎのように報じている。

「信用のおける葬儀屋が呼ばれ、通常の作法に則って葬儀を進めるように指示された。亡骸は内棺に納めたのち、りっぱなオークの柩のなかに置かれることになった。お決まりの装飾、たとえば、〝ポール〟は十七年にわたってミス・××に愛された忠実な猫であった、という一文を刻んだ銘板も用意された。ミス・××はしかるべき期間を愛猫の服喪にあてた。愛らしい花輪がのせられた柩は葬儀屋の店頭に陳列されたので、道行く人は強い興味と少なからぬ楽しみを覚えて眺めた」

ポールの埋葬式は教会からは認められなかったが、その後のほかの猫の葬儀が宗教色をおびる流れは止まらなかった。一八九七年四月一日付の《ハル・デイリー・メール》は、飼い猫の埋葬式をみずから執りおこなった牧師の話を載せている。この猫はでっぷりと太った黒と白のぶちの雌猫で、主人と毎日散歩する姿がよく知られていた。《ハル・デイリー・メール》には、愛猫の死は牧師とその家族を「悲嘆に暮れさせた」とある。

「美しい真鍮の飾りがほどこされ、絹とウールの裏地が張られたオークの柩に、猫の亡骸が手厚く納められ、三日間、客間に安置された。この安置の期間が終わると、牧師は馬車を呼んで駅へ向かわせた。駅に着くと、愛猫の亡骸が納められたオークの柩を抱きかかえ、北へ行く列車に乗りこんだ。葬儀の場所は、情報が錯綜していて特定にいたっていない。ただ、だれの目にもあきらかなことがひとつあった。亡き猫に対して最後まで敬意が払われていたということだ。葬儀のあとは猫の墓のまえに移動して、埋葬式もしくはその一部がおこなわれた」

ヴィクトリア朝時代の猫の葬儀に関する歴史的な記事のほとんどはユーモアに富んだものだが、ペットの埋葬に世間がしめす悪意ある反応を報道した記事も残っている。《エディンバラ・イヴニング・ニュース》紙の一八八五年九月十七日付の記事に登場するのは、飼い猫のトムのために盛大な埋葬式をおこなった、アバクロンビー・ストリートに住む高齢の女性だ。彼女はトムにふさわしい柩をつくるよう地元の葬儀屋に発注し、ジェイミーという名の墓掘りを雇って、地元の墓地に墓を掘らせた。記事にはこう書かれている。

猫の葬儀に参列する未婚の老女を描いた1789年のこの戯画のように、未婚の婦人とその飼い猫はしばしば風刺画の題材となった。[ジョン・ペティット(版画)、フレデリック・ジョージ・バイロン(原画)『猫の葬儀に参列する老嬢たち』1789年4月10日]

「昨日の午後におこなわれた葬儀には多くの会葬者が集まった。ミス・××が柩を抱いて墓地へ向かう途中、葬列のあとを追ってきた若者たちが大騒ぎを始めた。葬式が騒動で終わってしまうのではないかと案じた〝ジェイミー〟は、選ばれた少数の会葬者しか墓地にはいれないように鉄の門を閉めた。だが、群衆はますます興奮して野次や罵声を口々に発し、猫をキリスト教徒のように埋葬するとは許しがたい冒瀆《ぼうとく》だと叫びながら、壁をよじのぼった」

この騒ぎが、さながらキリスト教徒のごとく埋葬されるトムに向けられた怒りの爆発だったのか、それとも、単に若者たちが行儀悪く騒ぐための口実だったのかは判然としないが、そのあとに続いた騒動は、トムに先立たれた高齢の飼い主にははなはだつらい結果をもたらした。《エディンバラ・イヴニング・ニュース》はこう書いている。

「その後、柩がうち壊され、猫の亡骸が取り出された。最後には、警察が出動して墓掘りと高齢の婦人を保護しなければならないほどの騒動となった。飼い主の婦人はトムの亡骸をなんとか取り返してから、ジョンソン巡査とスミス巡査の助けを借りて近隣の民家に逃げこみ、しばらく避難させてもらった。飼い主の住まいがあるアバクロンビー・ストリートでは、群衆の暴力から婦人を保護するため、多数の警官が夜間まで警備にあたらなければならなかった」

暴徒の怒りの最大の原因は、トムの飼い主が猫を人間の墓地に埋葬しようとしたことにあったのかもしれない。こうした不満は珍しくなかった。神聖な土地にペットを葬ることを許可しない墓地も多く、解決策としてペット用の共同墓地が建設されることになった。一八八一年開園のハイド・パーク・ドッグ・セメタリーはもっとも有名な共同墓地のひとつで、その名称が意味するように、最初は犬専用の共同墓地だったが、ペットの猿三匹と猫二匹の埋葬も認めた。

そのほかにも、ヴィクトリア朝時代のイングランドには、公共および個人のペット用墓地があちこちに存在した。トーマス・レナード卿のエセックスの邸宅にもペット用墓地があり、一八五〇年代にはすでにペットの墓碑が建てられていた。一方、エディンバラ城のペット用墓地は元来、十九世紀の軍隊でマスコットにされていた動物や、士官の飼い犬を埋葬する場所だった。作家のトーマス・ハーディも、ドーチェスターのマックス・ゲートの自宅にペットの墓地を所有していて、ひとつを除くすべての墓に著名な作家自身が碑文を刻んだ。

この時代のペット用墓地の墓碑や記念碑の大半は犬のためのものだ。犬は十九世紀のペットとして信じがたいほど人気があった。猫が依然として狡猾で自分勝手な日和見《ひよりみ》主義者と見なされているのとは対照的に、犬は無欲で友達思いな保護者だというのが一般的な見方だった。そのうえヴィクトリア女王自身が大の犬好きなのだから、この時代になぜ犬が好ましい伴侶動物《コンパニオン・アニマル》とされたかは容易に想像がつく。

こうした犬への依怙贔屓《えこひいき》も、ヴィクトリア朝時代の猫好きの人々にはなんら影響をおよぼさなかった。猫の葬儀は犬の葬儀に勝るとも劣らず荘厳かつ盛大におこなわれていた。大衆の反応はどちらに対してもほぼ同じだった。おもしろがったり怒りをぶつけたり、ときには嘲笑したりした。一八八〇年八月十七日付の《ポーツマス・イヴニング・ニュース》紙の記事は嘲笑の一例で、飼い犬に死なれた婦人が「黒枠のある葬儀の案内状」を送付したという本文のあとに、「亡きファイドーの飼い主が未婚の婦人であることを確認する必要はないだろう」との注釈がついている。

十九世紀のペット葬儀に関する記事のほとんどにステレオタイプな老嬢の記述がある。ユーモラスではあるが、だれもがそんな典型的な行動に走ったわけではなかった。ひとつはっきりしているのは、どの時代にも自分のペットの死を嘆き悲しむ人間がいるということだ。ヴィクトリア朝時代にはその嘆きが、贅《ぜい》を尽くしたペットの葬儀という形をとった。さまざまな局面であいかわらず迫害されていた猫の身になれば、贅沢な葬儀はことさら胸にしみるだろう。

第3部

馬と家畜

ロッキンガム侯爵の競走馬ホイッスルジャケットの有名な肖像画。1762年にジョージ・スタッブスによって描かれた。[ジョージ・スタッブス『ホイッスルジャケット』1762年]

14章

ホイッスルジャケットと十八世紀の馬の画家ジョージ・スタッブス

「（ホイッスルジャケットは）あまりに気性が荒すぎるので、厩舎からの出し入れをまかせられる者はひとりしかいなかった」

『トーマス・ドッド、ウィリアム・アップコット、ジョージ・スタッブスの思い出 *Memoirs of Thomas Dodd, William Upcott, and George Stubbs R. A.*』一八七九年

ジョージ・スタッブスは、十九世紀のイングランド屈指の馬の画家だった。スタッブスには画家としての卓越した技量に加え、豊富な科学的知見があった。ヨーク病院で解剖学の講義をしていて、世界的に評価された著作『馬の解剖学 *Anatomy of the Horse*』もある。当然ながら、美しいサラブレッドの所有者からは、ぜひとも自分の馬を描いてもらいたいという依頼が絶えなかった。一七六二年、サラブレッド競走馬ホイッスルジャケットの等身大の肖像画を発注した、第二代ロッキンガム侯爵チャールズ・ワトソン・ウェントワースもそのひとりである。

ホイッスルジャケットは並はずれて美しい栗毛の牡馬で、亜麻色のたてがみとしっぽをもってい

た。馬体は今日のサラブレッド種のように小さめ。実際、その端整な容姿と優雅で小さな頭のせいで、しばしばアラブ種とまちがえられた。ただ、これは完全なまちがいとは言いきれない。じつのところ、ホイッスルジャケットの祖父はサラブレッドの三大父祖の一頭、ゴドルフィンアラビアンだったからだ。

　ホイッスルジャケットの美貌に唯一影を落としているのが、悪名高き気性の荒さだった。獰猛なこの馬はたびたび手がつけられない状態におちいった。のちに語られるように「あまりに気性が荒すぎるので、厩舎からの出し入れをまかせられる者はひとりしかいなかった」[39]。この馬手《ばしゅ》が、スタッブスが美しい馬の肖像画を描けるように、ホイッスルジャケットをスタッブスのもとへ毎日連れていき、制作工程はつつがなく進んだ——最終日のその日までは。

　肖像画のためにホイッスルジャケットにポーズをとらせた最後の時間は、スタッブスが予想したよりも短くてすんだ。作業は、信頼をおかれた馬手がホイッスルジャケット

18世紀の馬の画家ジョージ・スタッブスが1759年頃に描いた自画像。［ジョージ・スタッブス『自画像』1759年頃］

を連れて帰る約束の時刻よりだいぶまえに終わっていた。馬丁の少年がホイッスルジャケットを落ち着かせて、その時刻になるのを待っているあいだ、スタッブスは完成まぢかの絵を陽射しに向け、その効果を確かめようとした。等身大の自分の絵がはじめてホイッスルジャケットの目にはいったのはそのときだった。一八七九年のある記事は、そのあとに起こったことを伝えている。

「ホイッスルジャケットの手綱を引いて行ったり来たりさせていた少年が、突然、大声で叫んだ。スタッブスが振り返ると、馬は自分の肖像画をじっと見つめ、怒りに体を震わせていた。それから、絵のなかの自分に襲いかかるために飛び出そうとした。後肢で立ち、少年が肢を押さえると振りはらおうとした。絵を守るために彼らは必死の奮闘をした[40]」

最初の予定では、ホイッスルジャケットの絵は国王ジョージ三世を描いた王家の肖像画の一部になるはずだった。スタッブスが発注されたのは馬の絵だけで、彼が馬を描き終わったら風景画家が雇われて背景を描き、そのあとに肖像画家が、りっぱな栗毛の牡馬にまたがる王を描くことになっていた。ところが、自分の等身大の絵を見たホイッスルジャケットがどんな反応をしたかという話を聞くと、ロッキンガム侯爵はたいそう喜んだ。

「侯爵は絵にいっさいの手を加えることを認めず、背景なしのその絵を額に入れて飾った[41]」

肖像画が描かれた一七六二年、ホイッスルジャケットは推定で十三歳だった。競走馬としてのキャリアを終えてすでに引退し、種牡馬《しゅぼば》になっていた。彼の余生の詳細は知られておらず、いつ死亡し、どこに葬られたかもわかっていない。にもかかわらず、彼の名が忘れ去られることはなかった。その名高い等身大の肖像画のほかに、やはりスタッブスの手になる一七六二年の絵画でも、ホイッスルジャケットの姿が見られる。そちらは、ウェントワース・パークにある種牡馬飼育場で、ロッキンガム侯爵に仕える厩舎管理人のコブ氏と、ほかの二頭の馬とともに描かれている。それでもまだ彼が不滅の名声を得るにはじゅうぶんでないとでもいうように、一七七三年、オリヴァー・ゴールドスミスが発表したあの戯曲『負けるが勝ち』のなかに、ホイッスルジャケットの名が永遠に残された。ある場面で登場人物のトニー・ランプキンがこう言うのだ。「ホイッスルジャケットのように速く駆ける馬をきみにやろう……」。

ジョージ・スタッブスはその後、八十一歳の天寿をまっとうする。スタッブスの馬の絵は、現存する馬に関連した美術作品の最高峰と評価され、世界じゅうのさまざまな個人コレクションや美術館の主役となっている。ロンドンのナショナル・ギャラリーには現在、ホイッスルジャケットのあの絵が展示されている。

18、19世紀の競走馬や馬車馬は横から描かれるのが一般的だった。スタッブスによるこのパンプキンという若い栗毛の牡馬も横向きである。［ジョージ・スタッブス『パンプキンと馬丁の少年』1774年］

馬は、馬手や馬丁の少年とともに立ち姿で描かれることが多かった。[ジョージ・スタッブス『二頭立ての四輪馬車とクリーム色のポニー二頭と馬手の少年』1780-84年頃]

15章
一八二八年の気球飛行
―ポニーにまたがって!

「気球はたしかに飛んだ。しかし、ポニーのいない気球がなんだというのだ?」
《モーニング・クロニクル》紙　一八二八年八月十六日

一八二八年、英国の著名な気球乗り、チャールズ・グリーンは、九十九回めの飛行を馬に乗っておこなうと発表した。十九世紀の大衆はこの壮大なショーをいまかいまかと待ちかねていた。その日、一八二八年七月二十九日の朝五時、ロンドンのシティ・ロードにあるイーグル・タヴァーンの外には数えきれないほどの人々が集まった。見物人はオールド・ストリートとシティ・ロードを埋め尽くしただけでなく、建物の屋根にのぼる人まで現れた。有名な気球乗りの馬上の勇姿をだれよりも先にひと目見ようと競っていた。八月二日付の《エディンバラ・イヴニング・クーラント》紙はその光景をこう伝えている。

「見物人のなかには早朝から集まっていた人たちもいた。長い待ち時間のあいだに彼らがずっと考えていたのは、馬に乗って飛ぶという告知はいったいなにを意味しているのかということだった。そしてついに、それを見せられた。小型の馬のなかでも世界最小のシェトランドポニーの愛くるしい姿を」

ポニーの種類についての記述は各紙で異なっている。多くの新聞がウェルシュポニーとしている一方で、グリーン氏の気球飛行をもっとも詳細に報じた《エディンバラ・イヴニング・クーラント》の一八二八年の記事には、シェトランドポニーと書かれている。ポニーは、グリーン氏の「周到な訓練」を受けており、「係留ロープが許すぎりぎりの高度」まで、気球に同乗した経験も一、二度あった。[42]《エディンバラ・イヴニング・クーラント》によれば、「とてもおとなしくて」、階段をのぼったり、暖炉のまえの敷物に横たわったり、ティーカップから紅茶を飲んだりすることにも慣れていたという。おまけにそのポニーは、淑女に会えばおじぎをし、紳士に対しては「敬礼せよと命じられれば」前肢の片方を紳士に向けて差し出すように訓練されていた。

グリーン氏はその優秀な小さいポニーを離陸のまえに群衆に披露した。《エディンバラ・イヴニング・クーラント》はこう報じた。

「青いサテンの馬着《ばちゃく》と馬勒《ばろく》とリボンという出で立ちの、よく訓練された美しい小さな馬が、馬丁に導かれて庭をまわりながら、なんの仕掛けもないことをしめすために、半信半疑で見つめる群衆に向かって一礼してみせると、人々は感動して称賛を送った」

二頭のまるまると太ったシェトランドポニーと、餌をやる馬手のうしろ姿。[ソーリー・ギルピン『二頭のシェトランドポニーと馬手』1834年]

七時になると、ポニーは気球の下部の馬房に入れられた。馬房といっても、実際には気球の底に丸い台を置いただけのもので、「目のつまった丈夫な枝編み細工」のその台には「緑色の布がかぶせられ」、ポニーがどうにか立てるだけの余地しかなかった。[43]ポニーは小さな蹄《ひづめ》に結びつけた革紐でそこに固定された。グリーン氏がポニーにまたがると、気球は空に放たれた。

前夜は嵐が吹き荒れていた。雨はやんで空模様はだいぶ穏やかになっていたが、その日もまだ風は強く、結果的に気球はたちまち「高く舞い上がり、南に針路をとってグリーン氏とポニーを空へ運んだ」[44]。かわいそうにポニーはこのはじめての体験を受け止めきれず、当然ながら恐慌をきたした。《エディンバラ・イヴニング・クーラント》にはこうある。

「ポニーはあきらかにこの小旅行をいやがり、気球が離陸した瞬間に後肢を激しく蹴り上げて見物人を恐怖におとしいれた。そんな状態の相棒とともに先行き不安な旅のスタートを切ったグリーン氏の胸の内は、われわれには知るよしもないが、平穏と秩序を保とうと骨折るだけで精一杯のように見えた。彼の不安と見物人の不安とは異なるものだったかもしれない。だが、あのとき見たグリーン氏以上に命の危険にさらされていた人はいない。いるとすれば死刑執行人に首をあずけた人間ぐらいだろう」

幸いにもポニーはその後まもなく状況に適応し、残りの飛行では比較的おとなしくしていた。旅は十六時間以上も続き、気球はどこへなりと風まかせに進んだ。《モーニング・ポスト》紙はこう報じている。

「昨夜十一時半、電報配達人がイーグル・タヴァーンに着いた。電報によるとグリーン氏はすばらしい気球の旅を終え、ケント州ベックナムに無事着陸したそうだ」

ポニーにまたがった気球の旅が大好評を博したので、グリーン氏はこのパフォーマンスをもう一度試みようと、一八二八年八月十二日、英国王ジョージ四世の誕生日を祝って再飛行すると発表した。あいにく天候は彼に味方せず、三日間の延期を余儀なくされた。《モーニング・クロニクル》によれば、一八二八年八月十五日、「最終的に離陸は実行された」。ただし、「こんどのショーには馬の不在という、ささいな欠落があった」。

この記事を書いた《モーニング・クロニクル》の記者は、「ウェルシュポニーのペガサス」のいない気球の旅は、イアーゴのいないシェイクスピアの『オセロ』のようだと揶揄した。

「この状況を知ったわれわれがいやおうなく思い出したのは、オリアリー神父の指示に従い、登場人物からイアーゴをはずして上演されたアイルランド版『オセロ』だった……ホワイト・コンジット・ハウス（ロンドンにあったレジャー施設）の美しい木々（伸びざかりのポプラやまだ若いブナ）の下でも、ポニーがはずされたことに対して、ため息や不平や、さまざまな声がかすかに聞き取れた……」

世間のもうひとつの不満は、今回はグリーン氏が「代理の操縦士で飛行した」、つまり、自分のかわりに息子を気球に乗せたということだった。[45] もっとも、有名な気球乗りの不在に対する大衆の反応は、小さな馬の不在に対する反応とくらべれば、ないに等しかった。《モーニング・クロニクル》のぼやきは言い得て妙である。

「気球はたしかに飛んだ。しかし、ポニーのいない気球がなんだというのだ？」

19世紀初頭、気球飛行はまだ目新しく、実施されるたびに、とほうもない数の見物人を集めた。[無名の画家『グリニッジ病院の上を飛ぶ気球』1800年頃]

イングランドの動物画家エドウィン・ヘンリー・ランドシーアは、ジョージ・オブ・ケンブリッジ王子のお気に入りの馬や犬、鷹狩りの鷹の絵を描いている。［エドウィン・ヘンリー・ランドシーア卿『ジョージ・オブ・ケンブリッジ王子殿下のお気に入り』1834-35年］

野外で描かれた遊猟用の馬と狩りをする男の絵は、狩猟犬と狩りをする男の絵とともに、数多くある。［トーマス・ウッドワード『ジョンストン・キングの所有と思われる灰色の遊猟用ポニーと馬手』1835年］

16章

ペットのロバ盗難事件

「ロバの消息は途絶えたままで、
彼女はずいぶんまえにロバを取り返す希望を捨てていた」
《ノース・デヴォン・ガゼット》紙　一八五六年三月四日

一八四三年頃、イングランドのレディング近郊のシンフィールドで一頭のロバが生まれた。ウィートリー一家の営む農場で誕生したその雄のロバは、驚くほど体が小さかったので、農場主ウィートリーの幼い娘リディアのペットにされた。ロバは「タッピー」と名づけられて大切にされ、一八五六年三月八日付の《ヘレフォード・タイムズ》紙によれば、「美男ロバ」に成長した。体が不足なく大きくなった時点でタッピーは訓練を受け、若き女主人が近所に出かけるときの幌つきの小さな二輪馬車をひくようになっていた。ミス・ウィートリーの乗る馬車をひくロバの姿は人々に愛され、十九世紀の著名な女流作家メアリー・ラッセル・ミトフォードをはじめとする文士の面々からも「格別の注目」を浴びた。町のなかをまわる際にはいつもその馬車を借りていた文士もひとりいたという。

タッピーは、生まれた日からロンドン万国博覧会が開かれた一八五一年まで、リディア・ウィートリーと一緒に過ごした。その年の八月、農場主ウィートリーが娘のロバの盗難という不幸な出来事に気づいたとき、ミス・ウィートリーはロンドンに滞在中で留守だった。それから数年が経った一八五六年三月四日付の《ノース・デヴォン・ガゼット》紙には、「ロバの消息は途絶えたままで、彼女はずいぶんまえにロバを取り返す希望を捨てていた」と書かれている。

タッピーが盗まれてからすでに五年、おとなになったミス・ウィートリーはロンドンで暮らしていたが、一八五六年二月のある日、リージェント・ストリートの自宅へ戻る途中で、通りにいた行商人を目にする。のちにドルリー・レーンに住むヘンリー・ホリスと身元が

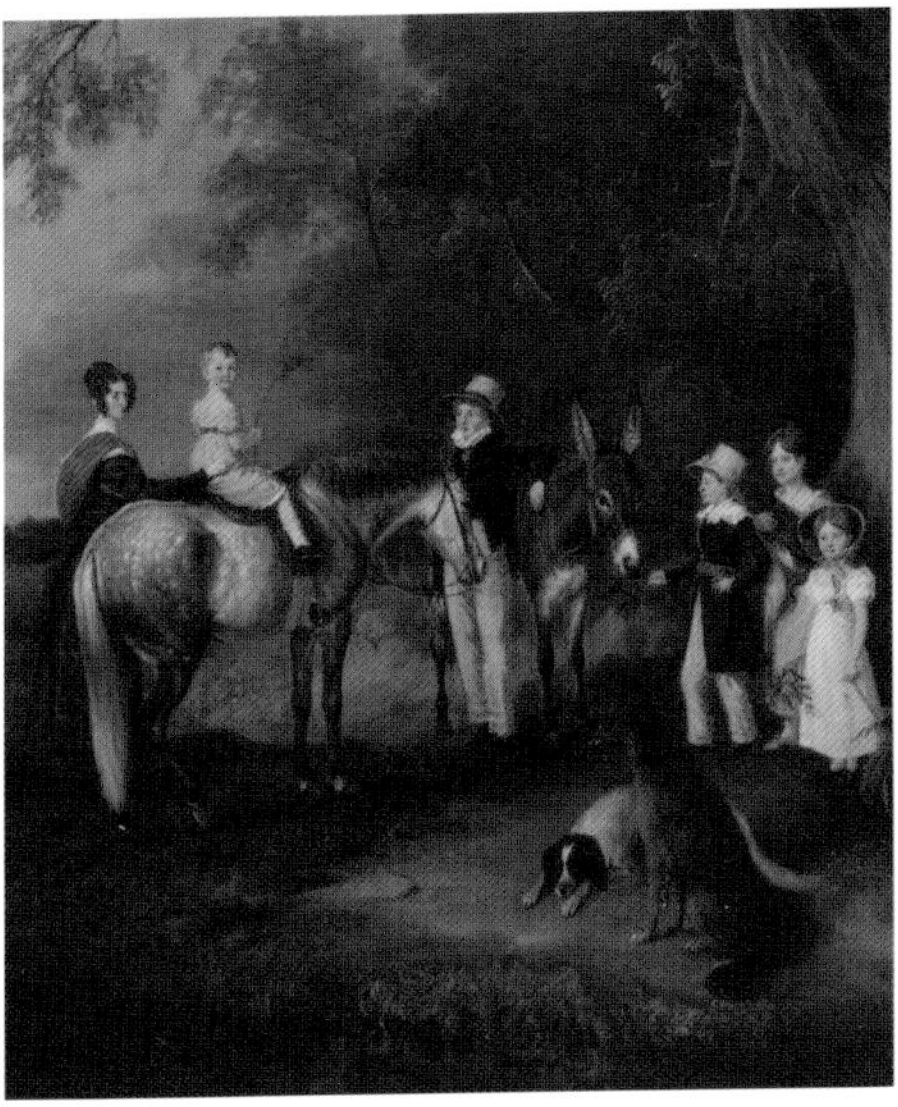

ロバは小柄なうえに頑丈なので、子どもが乗ったり駆ったりするのに最適だった。［ジョン・ファーンリー『ミス・キャサリン・ヘリックとその甥と姪、すなわちヘンリー・パルマー牧師夫妻の五人の年長の子どもたち』1829年］

知れるその男は、「長らく行方不明のロバとそっくりの馬」に荷車をひかせていた。[46] 以下は一八五六年三月一日付《ダンスタブル・クロニクル》紙の記事である。

「彼女はすぐに自分のロバだと思ったが、じゅうぶんに自制心を働かせ、男に疑いをかけるのを控え、ロバについての会話が始まるように仕向けた。なんてかわいい馬かしら、きっとあなたの役に立っているんでしょうね、と言いながら、ロバにビスケットを食べさせた」

ロバという動物は長期の記憶力に優れている。かつての女主人が自分のまえに現れた奇跡の瞬間、この小柄な友がどんな気持ちになったかは想像するしかない。《ノース・デヴォン・ガゼット》には、ロバは「即座に彼女に気がついた」と、《ヘレフォード・タイムズ》には、「彼女がだれだかわかり、大きな喜びをあらわした」とある。

ミス・ウィートリーは警官の姿が視野にはいるまで、ホリス氏と会話を続けた。警官がそばまで来ると、彼女は事情を説明しはじめた。警官は親身に話を聞いてくれ、そのありえないような経緯を聞き終わると、「男性とロバの双方に協力してもらう必要がある」として、事件の対応にあたった。[47] 後日、ミス・ウィートリーはボウ・ストリートの警察裁判所で、ホリス氏への召喚状の発付を勝ち取った。それはホリス氏が彼女のペットのロバの返還を拒む理由を提示せよという内容だった。

裁判が休廷とされたので原告・被告のどちらも証人を集めることができた。審理が再開されると、被告側の弁護士ルイス氏が登場した。ルイス弁護士はさっそく、ミス・ウィートリーによるロバの識別の信頼性に疑問を投げかけた。彼はその論拠として、つい一週間まえに警察裁判所で扱われたべつの事件で、自分の夫を見分けられなかった女性がいたことを挙げ、法廷でこう問いかけた――であるなら、どうして、ミス・ウィートリーのような若い婦人が、五年間も会っていなかったロバを正確に見分けられるなどと信じられましょう？

ミス・ウィートリーは、自分のロバについてはまちがえようがないほど「なにからなにまで知っている」と述べた。[48] この主張を裏づけるために彼女は、父親、母親、かつての学校の友人、まだ若いタッピーに蹄鉄を打ったことがある装蹄師など、何人もの証人を集めていた。《ノース・デヴォン・ガゼット》はこ

ロンドンの通りで呼び売りをする行商人にとって、ロバは馬よりはるかに安価な動物だった。［『ダービー・デーをまえにした行商人とロバ』《パンチ》誌1861年40号］

う伝えている。

「［証人たちは］原告の陳述を裏づける豊富な証拠をしめしたうえで、疑いも言いがかりも差しはさみようがないほどはっきりと「タッピー」（ロバの名前）を識別した。彼らはまた、前述の若いころのロバの経歴も語った。判事はみずから、法廷の入り口まで連れてこられていたロバの検分をした」

こうして増えつづける証拠にもひるむことなく、ルイス弁護士はモードという名の装蹄師を証人に立てた。《ノース・デヴォン・ガゼット》によると、モード氏は、そのロバとは数年にわたって顔見知りだと証言し、ロバの年齢を八歳と断定した。これに対してウィートリー氏が「七歳を過ぎたロバの年齢がわかる者などいない」と反論した。モード氏はたしかにそうだと認めながらも、さらにこう述べた。じつは六年まえにべつの行商人のために同じロバの蹄鉄を打ったことがあり、そのときロバはまだ二歳で、「腕に抱けるくらい小さかった」

そのあと、当の行商人のジョーンズ氏が証人として呼ばれ、モード氏の言ったことにまちがいなく、自分は一八五〇年、二歳のロバをわずか十五シリングで買ったと証言した。購入後、ロバが商売に役立つまで十二ヵ月待たなければならず、それからまた、べつの男性にロバを売り、その男性がホリス氏にロバを売ったとも。

この事件を担当するジャーディン判事は被告側の証言内容に不審を抱いた。判事はジョーンズ氏の証言に対して、一年以上も商売に使えない動物を、行商人が十五シリングも出して買うかどうか、非常に疑わしいと明言した。モード氏による識別に関する判事の言葉は、《ダンスタブル・クロニクル》の記事を引用する。

「何回かロバに装蹄をしただけで識別できると誓って言えるのであれば――おそらく当時はそのロバに特別な注意を払ってはいなかっただろうに――［モード氏は］よほど豪胆な人であるにちがいない」

判事は、ロバは正当な手段では入手されなかったと断じ、ただちにミス・ウィートリーにロバを返還するよう命じた。《ヘレフォード・タイムズ》はこう報じている。

「タッピーの所有権はミス・ウィートリーにあるとの判決がくだされた。傍聴席で拍手が湧くなか、タッピーは正式に飼い主に返された」

ホリス氏は、ロンドンのあちこちの通りで自分の荷車をひかせていたロバが、じつは盗まれたロバだと知っていたのだろうか？　あるいは彼もほかの何者かに裏切られた被害者だったのだろうか？　ほんとうのところは当時の記事からはうかがい知れない。ただ、ロバを失うホリス氏に対して補償をさせてほしいと、ミス・ウィートリーが願い出たということが、《ノース・デヴォン・ガゼット》の記事に書かれている。ホリス氏にとって不運だったのは、裁判所がこの点に同意しなかったことだ。判事は行商人に対する補償の勧告をすることなく、盗まれたロバの裁判の幕をおろした。

イングランドの馬の画家ジョン・フレデリック・ヘリングによる19世紀中頃のこの絵には、馬手が王家の馬を運動させる様子が描かれている。［ジョン・フレデリック・ヘリング『運動する王家の馬たち』1847-55年頃］

馬の画家ジョン・ファーンリーによるこの絵には、馬の歯から蹄まで、あらゆるものがきわめて緻密に描写されている。[『ハイド・パークで二輪馬車を御するウィリアム・マッシー＝スタンリー』1833年]

17章

ピカデリーの山羊《やぎ》、ウェストエンドを散歩する

「上流階級の人々に囲まれ、ウェストエンドの中心で育った彼は、礼儀は申しぶんないけれども、味には少々うるさい山羊になった」
《ニューキャッスル・クーラント》紙　一八九二年六月四日

貧乏人の牛と呼ばれることもある山羊は、十九世紀には荷車ひきから乳の提供まで重宝されていたが、ペットとしての山羊の人気を高めたのは値段の安さと同時に迷信だった。たとえば、厩舎に山羊を一頭入れておくと、馬が病気や怪我をしないと信じる人がたくさんいた。十九世紀末、ロンドンのピカデリーにあったアルフレッド・ド・ロスチャイルド氏の厩舎を管理していた御者ミラー氏も、そのためだけに山羊を一頭飼育していた。

一八九二年六月四日付の《ニューキャッスル・クーラント》によれば、年齢十歳、「決まった名をもたない」この雄の山羊は、生後数ヵ月でピカデリーのブリック・ストリートにあるロスチャイルド家の厩舎へ連れてこられ、地域住民のあいだで大の人気者になった。「有名人」の目にもたびたび留まり、ケンブリッジ公爵までが足を止めて「ぽんぽんと優しく叩いたり言葉をかけたりした」。

山羊は毎朝、厩舎の戸口に姿を見せては天気を確かめるのを習慣にしていた。天気に関しては気難しいところがあり、晴れた暖かい日以外は外へ出ようとしなかった。《ニューキャッスル・クーラント》はこう伝えている。

「朝の早い時間に山羊が戸口までやってきて、あちらこちらに顔を向けて注意深く確認している光景はなんとも微笑ましい。そのときの大気の状態や空模様がちょっとでもお気に召さなければ、山羊は厩舎のなかへ引き返し、その日の戸外での運動をやめにする。満足のいく朝を迎えられた日は散歩に出かけ、たぶん夕暮れまで帰ってこない」

山羊の天気予報はピカデリーでは有名だった。多くの人が、山羊が朝に厩舎から出てくる決断をした

ピカデリーの山羊のスケッチ。［リチャード・ハーディング・デイヴィス著『世界の主要な道 *The Great Streets of the Worlds*』の挿絵、1892年］

日は「確実によい天気の一日になる」と気づいたのだ。一八九四年八月二十八日付の《ベルファスト・ニュースレター》紙の記述どおり、「天気に関してピカデリーの山羊は、精度の高い気圧計よりも信頼されていた」

ピカデリーを出発した山羊は、リージェント・ストリートやオックスフォード・ストリート、さらに遠くまで出かけた。道中にいる大勢の友人は山羊を自分の店へ誘いこんで、好物のケーキや菓子でもてなした。《ニューキャッスル・クーラント》の記事にあるように、店ではなく裕福な人の私邸を山羊が訪ねることも珍しくなかった。

「彼には決まって立ち寄る家がウェストエンドの主要な街区にいくつかあり、どの時間に行けば、いちばんおいしいごちそうをふるまわれるかを正確にわかっている。好みの味がはっきりしていて、好きなものを出されなければ口をつけようとしない」

山羊のお気に入りの家はケンブリッジ公爵邸だった。一八九〇年九月一日付の《セント・ジェイムズ・ガゼット》紙によれば、一日のどの時間にも公爵邸のまえで山羊の姿が見られることもあった。公爵邸に住む人たちも山羊のことが大好きで、「山羊が歩道いっぱいにゆったりと座って道を塞いでしまっても」許していた。それほどの人気者だったから、警官も、山羊がケンブリッジ公爵邸のまえに座っているときに、「長いりっぱな鬚《ひげ》」をいたずら者に引っぱられるという侮辱を受けないように守っていた。

「山羊は座っていても立っていても、自分のために道をあけてくれたり親愛のまなざしを送ってくれたりする人たちには、時を選ばずいつでも、分け隔てのない好意をしめす」

その雄山羊は体がとても大きく、毛色はグレー、しかも「同じ種の山羊のなかでは抜きん出て美しい一頭」だったと語られている。[49] しかし、そうした賛辞をふんだんに浴びていたとはいえ、ピカデリーの山羊がいつも品行方正だったわけではない。多くの友人からほどこしを受けるのに慣れていた彼は、相手がもてなすことを拒否したときに、すんなりとは受け入れられなかった。公園に出した屋台でりんごや菓子を売っていた年配の女性は、山羊が期待したほど気前がよくなかった。《ベルファスト・ニュースレター》の記事を紹介しよう。

「ある日、彼女が公園で屋台を出していると、皇太子妃の馬車を先導する騎馬警官がピカデリーを通るのが目にはいった。王室の人をひと目見ようと、老女は腰掛けから立ち上がり、急ぎ足で縁石のきわへ向かった。山羊はここぞとばかりに不満を爆発させた。屋台に粛々と近づくと、頭を台の下に入れてひっくり返し、並べられていた商品を全部、泥の上にぶちまけたのだ。そのあと山羊は、これ以上速くは走れないというほどの全速力で帰宅した」

ときおり発作的にしでかす悪さや、《ベルファスト・ニュースレター》いわく「通行人へのいたずら」に加え、煙草への極端な嗜好も山羊の悪癖のひとつだった。しかし、ここでも彼が味にうるさいことは歴然としていた。《ニューキャッスル・クーラント》は「彼は煙草の好みがかなり偏っているので、色が薄くてマイルドな風味の一定の紙巻き煙草しか受け付けないだろう」としている。

一八九三年の時点で、ミラー氏はすでに二十五年にわたってピカデリーのロスチャイルド家の厩舎を管理していた。その二十五年間、厩舎ではかならず一頭の山羊が飼育されていた。ミラー氏は古くからの迷信を固く信じていて、ロスチャイルド家の厩舎が伝染病と無縁でいられたのは山羊のおかげだと信じて疑

18世紀のイギリスの肖像画家トーマス・ゲインズバラによる山羊のスケッチ。
［トーマス・ゲインズバラ『山羊の習作』1770年代後半］

わなかった。実際、ウェストエンドの厩舎でインフルエンザが流行した、その年の前半にも、病におかされずにすんだ数少ない厩舎のなかには、山羊がいるロスチャイルド家の厩舎もふくまれていた。

　病から厩舎を守ったとしても、ピカデリーの山羊は不死身ではなかった。一八九三年、彼が自然死すると、《ベルファスト・ニュースレター》は「ついにその時が来て、だれにも止めることはできなかった」とだけ報じた。山羊の死に動揺したのは、ロンドンの街路をそぞろ歩く山羊と直接出会った人たちだけではなかった。ウェストエンドの住民もショックを受けた。毎年八月、避暑で町にいない友人への手紙にはこう書くのが習慣のようになっていたからだ。「新しいニュースはなにもありません。あなたが出かけてから、町ではピカデリーの山羊のほかに顔見知りと会うこともありません。わたしと山羊とでウェストエンドを分かちあっているのです[50]」

第4部

鳥

18、19世紀には、オウムはしばしばペットとして飼われた。[19世紀の無名画家『ルリコンゴウインコ』1832年]

18章

オウムと猿と ショワズール夫人のふたりの恋人

「彼女はその動物たちを平等にかわいがり、どちらの贈り主にも平等に感謝をしめしていました」

ホレス・ウォルポールからの手紙　一七八六年二月十日

十八世紀後半、ホレス・ウォルポールと親しい友人のオッソリー伯爵夫人は、ウォルポールの愛犬トントンの健康と幸福のほかにも、たくさんのことを手紙に綴った。ふたりは宮廷の最新のゴシップも共有し、さまざまな友人や知人にまつわるユーモラスな出来事について語りあった。そんな手紙のなかの一通、一七八六年二月十日にウォルポールがしたためた手紙には、共通の知人であるフランソワ=テレーズ・ド・ショワズール=スタンヴィルをめぐる恋敵ふたりの愉快なエピソードが披露されている。このショワズール夫人《マダム・ド・ショワズール》とは、フランスの貴族、ジャック・フィリップ・ド・ショワズール=スタンヴィルの娘のことで、「奔放な」若い貴婦人と言われていた彼女は、コワニー氏とジョゼフ・ド・モナコ公子から同時に求愛されていた。[51] ふたりのどちらも彼女の愛を勝ち取ろうと躍起になり、ライバルに対して嫉妬心を燃やしていた。

ウォルポールの手紙によると、ショワズール夫人は「奇跡のごとく流暢《りゅうちょう》な話術をもつ」オウムをペットにしたがっていた。当時のパリにはコンゴウインコ、オウム、バタンインコなどを売る店がいくらでもあったので、彼女の望むような動物を手に入れることはさほど難しくなかった。恋人の一方は、そうしたペットショップにすぐさま出向き、愛する女性が所望する鳥を入手した。

ところが、ショワズール夫人には「恋人がふたりいただけでなく、情熱を傾ける対象もふたつあった」とウォルポールは書いている。彼女は流暢に話すオウムを欲しがりながら、さらに、ロンドンのアストリーズ野外劇場に出演中の芸達者な有名チンパンジー、ジャクー将軍にもぞっこんだった。そこで、もうひとりの恋人は、サーカスの興行主フィリップ・アストリーから、ジャクー将軍を買い取ろうとしたが、アストリーの要求する金額はあまりにも高すぎた。彼はすぐさま、ジャクー将軍にひけを取らない、恋人への贈り物にできるような猿を探しに出かけた。ウォルポールの手紙にはこう書かれている。

「幸運なことに、（彼は）ほかにも驚異の技をもつ猿がいるという噂を聞きつけたのです。それはモノモタパ産（モノモタパはアフリカにかつてあった王国）の猿で、それほど高い地位にあったわけではなく、ただの厨房の助手でしたが、独特な器用さでニワトリの羽根をむしる技を身につけていました」

この猿はジャクー将軍ほど高値ではなかったので、ふたりめの恋人は難なく買い取った。猿を贈

ヴェネツィアの肖像画家ロザルバ・カッリエーラによる、18世紀の上流階級の若い女性がペットの猿を抱いたパステル画。[ロザルバ・ジョバンナ・カッリエーラ『猿を抱く乙女』1721年頃]

られたショワズール夫人は大喜びして、さっそく新しいペットをジャクー将軍二世と名づけた。ウォルポールの手紙には「彼女はその動物たちを平等にかわいがり、どちらの贈り主にも平等に感謝をしめしていました」とある。

その後、ショワズール夫人がはじめて外出をしたとき、オウムと猿は鍵のかかった彼女の寝室で一緒に留守番をすることになった。夫人が帰宅すると、ジャクー将軍二世は迎えに出てきたが、オウムの姿はどこにも見あたらなかった。捜しまわったあげく、ベッドの下に隠れている哀れなオウムが見つかったが、「ぶるぶる震えて体を縮こまらせ――しかも、その異様に硬直した体には一枚の羽根もない」というありさまだった。どうやらジャクー将軍二世は、厨房の助手時代に羽根をむしっていたニワトリとオウムを同類だと思っていたらしい。ショワズール夫人がドアを閉め、部屋にだれもいなくなるやいなや、猿はオウムをつかまえ、羽根をむしり取って丸裸にしたのだ。

オウムを贈った最初の恋人は、この不幸な出来事を知ると、もうひとりの恋人はこういう結果を想定したうえで羽根むしりをする猿をプレゼントしたのだと決めつけた。彼は恋敵に決闘を申し込み、双方ともその決闘で負傷した。ウォルポールによれば「見事なまでの果たし合いだった！」。

一七八二年、ショワズール夫人はジョゼフ・ド・モナコ公子と結婚した。そして一七九四年、彼女はギロチンで処刑される。ロベスピエールが断罪されて恐怖政治が終わる、わずか一日まえのことだった。オウムと猿が最後にどんな運命をたどったのかは知られていない。

19章
マルメゾン城のやもめのコクチョウ

「時の経過も、新たにあてがわれた伴侶の白雪のごとき美貌も、黒衣《くろぎぬ》の君主のプライドにはなにひとつ影響をおよぼさなかった。嫌悪もあらわに彼女に背を向け、近寄ることすら許さない。身分の低い相手を娶《めと》るぐらいなら永遠にやもめ暮らしをしたほうがよいと思っているのだろう」

《モーニング・ポスト》紙　一八二四年十一月一日

十九世紀初頭、パリ郊外の美しいマルメゾン城は、ナポレオン・ボナパルトとその妻ジョゼフィーヌの邸宅だった。そこには珍しい異国の動物たちも数多く住んでおり、どの動物も庭園で自由に暮らしていた。外交上の贈り物としてマルメゾン城へやってきた動物もいれば、ニコラ・ボーダン率いる博物学調査隊の一八〇〇年のオーストラリア遠征による収穫物もあった。その調査にはフランスの動物学者や植物学者が同行し、現地の動植物を捕獲・採集し、持ち帰っていた。

一八〇三年、フランスへ帰航する船に乗せられていたオーストラリア原産の動物のなかには、二羽のコクチョウもいた。たくさんの動物が旅の途中で命を落としたが、二羽のコクチョウは船上生

マルメゾン城の池のほとりに立つナポレオンとオルタンス・ド・ボアルネ（ジョゼフィーヌの娘）。［『ナポレオンが最後に住んだマルメゾン城』19世紀］

活にも、のちのマルメゾンの庭園での生活にも、さほど苦労せずに順応した。庭園の中心にある広い池を壮麗に泳ぐ姿や、土手を誇らしげに闊歩《かっぽ》する姿が見受けられた。

フランス人はこのような鳥をそれまで見たことがなかった。体を覆う羽毛は漆黒で、風切羽の先だけが白く、赤いくちばしをもったコクチョウは、一般に「ことわざにされるほど珍しいもの、ほとんどありえないというに等しいもの」と考えられていた[52]。ハクチョウより小柄で、ハクチョウより優雅で、鳴き声はハクチョウよりはるかに心地よかった。同時代のある観察者は「その容姿は威厳に満ち、目は鋭く、やわらかく哀調をおびた声は耳にしっくりとなじむ」としるしている[53]。

二羽はマルメゾン城で、捕獲されてはじめての生殖をした。ハクチョウ属の鳥は、つがいになると一生添い遂げる。ひな（シグネットと呼ばれる）に対する保護の姿勢はことさら強く、外敵から子を守るために激しく威嚇する。ひなたちは夜は母鳥の羽の下で眠り、昼間は、ひなの体が疲れたり冷えたりすると、あるいは水が深すぎたり波が高すぎたりすると、しばしば母鳥の背中に乗せてもらって水面を進む。父鳥は、卵が孵化《ふか》して巣の外に出るまえもあとも、家族に危害が加えられないように、つねに監視の目を光らせている。

ハクチョウは概して長寿で、三十年生きたという記録も何例か残っている。これはコクチョウも同様で、マルメゾン城のコクチョウたちは皇后ジョゼフィーヌより長生きした。ジョゼフィーヌが没した一八一四年、庭園にはまだ七羽のコクチョウがいた。その後、自然史博物館に寄付されたり、ミュンヘンにいるウジェーヌ王子のもとへ送られたりして、最後はつがいの二羽が残った。歴史的文献の裏づけはないが、ひょっとしたら、この二羽が、一八〇三年にオーストラリアからやってきた最初のつがいだったかもしれない。

それからしばらくして、つがいの雌が死んだ。悲しむ雄鳥を慰めるために、「入手可能なもっとも美しい雌のハクチョウ」がマルメゾン城に連れてこられ、水路に放された。[54]寡夫となった雄のコクチョウはまったく喜ばなかった。彼がハクチョウを拒絶する様子は十九世紀初頭から中葉にかけて、数えきれないほどの新聞や雑誌で報じられている。たとえば、《マガジン・オブ・ナチュラル・ヒストリー・アンド・ジャーナル・オブ・ズーロジー》誌の一八三三年の記事はこんなふうだ。

「彼の心が癒やされることはないのだろう。彼女を受け入れることはプライドが許さなかった。漆黒の羽の美しさを自然から与えられなかった者を娶れば、不釣り合いな結婚になると彼は考えていた」

コクチョウはハクチョウが「自分に近づくことも、視界にはいることすら」我慢ならないようだった、とマルメゾン城の園丁が報告している。やがて、ハクチョウの姿を見かける場所は水路の湾曲部になった。そこは「彼女の白雪の美貌を軽蔑した伴侶」から二百ヤード（約百八十メートル）以上も離れていた。

時を経ても寡夫のコクチョウの心は閉ざされたままだった。《マガジン・オブ・ナチュラル・ヒストリー》の記事の執筆者は、数年後にふたたびマルメゾン城を訪れたときのことも書いている。

「それから何年か経って、もう一度マルメゾンを訪ねると、黒衣の君主はなおも寡夫の身を通していた。最初の妻への操《みさお》を立て、美しいが羽の色がちがうハクチョウの慰めをいまだに拒んでいたのだ。これぞ男の鑑《かがみ》ではないか！」

ほかの数誌も同様の論調だ。べつの一誌はこう伝えている。

「時の経過も、新たにあてがわれた伴侶の白雪のごとき美貌も、黒衣の君主のプライドにはなにひとつ影響をおよぼさなかった。嫌悪もあらわに彼女に背を向け、近寄ることすら許さない。身分の低い相手を娶るぐらいなら永遠にやもめ暮らしをしたほうがよいと思っているのだろう」[55]

雄のコクチョウが最初のパートナーに操を立てていることを、道徳的教訓にすり替えようとする記事が現れるのは必然のなりゆきだった。あるコラムニストはこう結論づけている。

「二羽はもう何年も同じ水辺に暮らしているが、コクチョウの気難しさと身にまとった威厳は以前と変わらず、けっしてハクチョウを自分に近寄らせない。この姿は、乱れた社会にあっても自身の主義を汚すことなく生きられるという、人間への貴重な教えになっている」[56]

こんなふうに十九世紀の文筆家はロマンチックな教訓で飾りたてたが、背後にあるのは単に生物学的理由だった。コクチョウとハクチョウは種がちがうので、選択の自由を与えられたとしても、つがうことはめったにない。ただし、同種の相手がまわりに一羽もいない場合、コクチョウがハクチョウとつがいになって雑種の子をつくったという例も、まれではあるが知られている。マルメゾン城のコクチョウは、異種をつがいの相手として受け入れるのがいやだっただけなのか？　それとも、ほんとうに亡き愛妻の死を悼んでいたのか？　その答えは、歴史の多くがそうであるように、われわれが想像するしかない。

　現在のマルメゾン城は観光用に一般公開されていて、結婚式まで挙げられる。城内の居室めぐりに参加すれば、スワンを象《かたど》った椅子やスワン柄のカーペットのほか、ジョゼフィーヌの死の床となった黄金のスワン飾りがある天蓋付きベッドなど、スワンをモチーフにした豪華な家具を見られるだろう。種に関してつけ加えるなら、一八〇〇年代前半には希少種だったコクチョウは、もはや希少種でもなんでもない。いまや世界じゅうの動物園で見ることができるし、野生のコクチョウはオーストラリアだけでなく、数は少ないがアメリカやイングランドにも生息している。そうした美しい鳥たちの多くが、その昔マルメゾン城に連れてこられた最初の二羽――寡夫のコクチョウと、彼がその死を悼み続けた伴侶――の遠い子孫なのかもしれない。

マルメゾン城のやもめのコクチョウと同種の白い羽先のコクチョウ。［H・L・マイヤー『ブラック・スワン』1849年］

ワタリガラス、学名*Corvus Corax*は、生息する鳥類のうち知能がもっとも高い一種と考えられている。[ジョン・グールド『*Corvus Corax*—ワタリガラス』制作年不詳]

20章 チャールズ・ディケンズに着想を与えたワタリガラス

「この物語のカラスには、実在した二羽のすばらしいモデルがいる。飼っていた時期は異なるけれど、わたしは二羽ともたいへん自慢にしていた」

『バーナビー・ラッジ』序文　チャールズ・ディケンズ　一八四九年三月

チャールズ・ディケンズは一八四〇年から一八四一年にかけて、短命に終わった週刊誌《マスター・ハンフリーズ・クロック》に五作めの小説『バーナビー・ラッジ』（「世界文学全集15」、集英社、一九七五年、小池滋、中川敏訳）を連載していた。ディケンズはこの小説に、主人公バーナビー・ラッジのおしゃべりな鳥の相棒、ワタリガラスのグリップを登場させた。同作で「数マイル四方に名を轟《とどろ》かせるほど賢い」と書かれているこのグリップは、じつは、ディケンズの生涯の異なる時期に飼われていた二羽のワタリガラスを組み合わせたキャラクターだった。

最初に飼った、小説と同じグリップという名前のワタリガラスは、幼鳥といってもいいぐらいに若く、友人のひとりがロンドンで見つけてディケンズへの贈り物にした。非常に知能の高いグリップをディケンズはすぐに気に入り、自分で餌をやってかわいがった――グリップはその返礼に大きな声で「わたしは悪魔！　わたしは悪魔！」と宣言したことが知られている。[57]

実在したそのグリップは始終まわりの人間を観察しながら、「模範的な学習と注意力によって知識の蓄えを増やしていった」と、一八四九年版の『バーナビー・ラッジ』の序文でディケンズ自身が述べている。だが、グリップの知力はよいことだけに使われたのではなかった。彼は人の踝《くるぶし》をくちばしでつついては、半ペニー銅貨を盗み、庭のあちこちに埋めていた。また、「ニューファンドランド犬を思いきり怖がらせて」、その超大型犬の鼻先にあった夕食を頂戴し、「平然と立ち去った」ことも一度ならずあった。

ディケンズによると、グリップが「知識と美徳を急速に高めているとき、運悪く馬小屋のペンキが塗り替えられ」、馬小屋をねぐらにしているグリップは、たいていはどれか一頭の背にとまっているので、そのときも、馬の背から見おろす形でペンキ職人と彼らのペンキを眺めていた。ディケンズはこう書いている。

「彼は職人を入念に観察し、彼らがペンキを注意深く扱っていることに気づいた。すると突如、それが無性に欲しくなった。職人たちが夕食をとるために出ていくと、彼らが置いていった、重さにして一ポンドか二ポンド（約四百五十〜九百グラム）の鉛入りの白ペンキを全部食べてしまった。この若気のいたりは彼の死で終わった」

もっとも、グリップはこの含鉛塗料を体内に取りこんだとたんに死んだのではなかった。それどころか、ディケンズが友人に宛てた手紙でワタリガラスの死に触れたのは、事件から一年後だ。一八四一年三月十二日付のその手紙には、グリップの苦しみはわずか数日だったと書かれている。ディケンズと彼の家族は、グリップが苦しんでいるのは前年の夏に食べた含鉛塗料の一部がまだ「器官に残っている」からではないかと疑った。医師のヘリング氏が呼ばれ、苦しむワタリガラスを診察した。医師は解毒剤の「強いひまし油」を処方した。ちょっとのあいだはそれが効いたようだが、結局、グリップの苦痛を取り去るにはいたらなかった。

グリップは翌朝もひまし油を飲まされ、少量の温かいオートミール粥《がゆ》を与えられ、粥を「味わって食べているように見えた」のだが、それから二時間もしないうちに容体が急変した。ディケンズは十一時半に瀕死のグリップの声を聞いている。

「馬やトッピングの家族［トッピングは御者］について、ひとり語りをしていたかと思うと、なにやら支離滅裂な言葉をつけ足した。死が近づいているという予言、もしくは、自身のわずかな財産の処分に関する希望だったと思われる。財産というのはおもに、庭のあちらこちらに埋めたままになっている半ペニー銅貨のことだ[58]」

正午、グリップは死の床から起き上がり、馬車置き場のなかを二回、三回と行きつ戻りつした。ディケンズの手紙によれば、そのあと「立ち止まって鳴き声をあげ、よろめきながら、おーい、ねえさん！（彼のお気に入りの言いまわし）と叫び、息絶えました」

　ペットを失ったディケンズは悲しみに暮れた。含鉛塗料が器官に残っていたせいでグリップが死んだというのは、どこか腑《ふ》に落ちなかった。近所の肉屋がグリップを「ぶっ殺してやる」と脅していたと聞くと、かわいそうなグリップに恨みがある肉屋が毒を盛ったのではないかと、怪しみさえした。そこから疑いをつのらせて、ヘリング医師に検死解剖の要請までしたが、その結果がどうであったかはわからない。だが、グリップの遺体は剝製《はくせい》にされて残った。ディケンズはグリップの剝製を死ぬまでそばに置いていた。ディケンズの死後、剝製はオー

チャールズ・ディケンズの飼っていたワタリガラス、グリップの版画。1870年の《グラフィック》紙掲載が初出。［『グリップ、故チャールズ・ディケンズのワタリガラス』1870年］

チャールズ・ディケンズの肖像画。
[『チャールズ・ディケンズ』1873年]

クションにかけられ、百二十ポンドという当時の大金で落札されたため、大きな話題となった。

　グリップの死から立ちなおれずにいるディケンズに、ヨークシャーに住む友人が新たなワタリガラスを贈った。村のパブを住みかにしていたそのワタリガラスは、グリップより年長で、伝えられるところによると賢さもグリップ以上だった。二羽めのワタリガラスはディケンズの屋敷に着くとすぐ、さまざまな任務に精を出した。ディケンズはこう書いている。

「この賢者が最初にとった行動は、庭に埋められているチーズと半ペニー銅貨をひとつ残らず掘り起こし、前任者の財産を管理することだった――膨大な労力と調査を要するその作業に、彼はもてる知性と全精力をそそぎこんだ[59]」

グリップのようなワタリガラスは捕獲された状態で40年生きることもあった。［H・L・マイヤー『ワタリガラスCorvus Corax』1846年］

新しいワタリガラスは、グリップの隠したお宝を全部掘り出してしまうと、庭から馬小屋へ場所を移し、「馬小屋用語の習得に励んだ」[60]。そして、あっというまに馬丁の口真似がうまくなり、ディケンズの部屋の窓の外にとまって、「日がな一日、架空の馬を巧みに駆ってみせた」[61]。

しかしディケンズは、この二羽めのワタリガラスにはグリップほどの愛情を抱けなかった。そうした感情はお互いさまでもあって、彼は二羽めに精一杯の敬意を払っているのに、ワタリガラスがお返しにディケンズを尊敬するということはいっさいなく、そのかわり料理人に懐いていたと、ディケンズ自身が認めている。

グリップと同じく、こちらのワタリガラスも旺盛な好奇心を抑えきれなくなることがたびたびあり、とくに異物を食べてしまうのはしょっちゅうだった。ディケンズのペットだった三年間に、庭の壁のモルタルをつつき出しては食べ、家のガラス窓のパテを剝がしては食べ、階段と踊り場の板をつついて裂いては、その破片を飲みこんだ。ディケンズの家族と暮らして三年めの終わり、ワタリガラスは病気になった。死ぬまえの何時間かを過ごしたのは厨房の竈《かまど》のまえだった。ディケンズが『バーナビー・ラッジ』の序文に書き残しているとおり、「彼は肉があぶられるのを最後まで見つめていた。と、突然、不気味なひと声『カクゥー！』とともに仰向けにひっくり返った」。

ディケンズは生涯をとおして動物好きだったが、このあとふたたびワタリガラスを飼うことはなかった。グリップも彼の後継者もワタリガラスの標準より短命であったとはいえ、彼らが文学界に与えた影響はいまでも感じ取ることができる。この二羽のワタリガラスから『バーナビー・ラッジ』に登場するグリップが生まれただけでなく、アメリカの作家エドガー・アラン・ポーも間接的に着想を得て、あの有名な詩『大鴉《おおがらす》』を書きあげたのだから。

《グレアムズ・マガジン》誌の編集主筆を務めていたポーは、一八四二年、同誌に『バーナビー・ラッジ』の書評を執筆しなければならなかった。ポーはワタリガラスのグリップについて、「すこぶる愉快」だとしながらも、ディケンズがこのキャラクターにもっと予言者的な役割をさせていれば、なおよかったと評した。以下がそのくだりだ。

「カラスの鳴き声は物語の進行にそって予言的に聞こえるほうがよかったかもしれない……一

回一回が異なっているほうが。どれもがまえとははっきりちがうほうが。それでいて、場面はべつでも共通するものがあると察せられ、ばらばらだと不完全なものが一緒になると完全なひとつの意味をなす、というように」

そのわずか三年後に発表された詩『大鴉』は、ディケンズへの助言を胸に刻んでつくられているように思える。『大鴉』でポーは一躍、名声を手にした。批評家はこぞって天才と称え、ニューヨークの文壇は、ようやく彼を温かく迎え入れた。今日でもポーといえば真っ先に『大鴉』が思い出される。たとえ、この詩を全部読んだことがない人でも——あるいはポーの作品をまったく知らない人でも——「大鴉は言った、"Nevermore"」（『ポー詩集』岩波文庫、一九九七年、加島祥造編より引用）という有名な一節は暗唱できるはずだ。

画家のメアリー・スミスが1872年に制作したこの絵には、サクランボをついばむ雌鶏とひよこたちが描かれている。[メアリー・スミス『サクランボをついばむ』1872年]

21章
連隊のニワトリ

「若い雌鶏をペットにしている兵卒がいる。その雌鶏はこれまでいくたび戦場で危険にさらされても、飼い主とともに生き延びてきた」
《チェスター・クロニクル》紙　一八六三年六月二十七日

十九世紀の軍隊のマスコットと聞いて、最初にニワトリを思い浮かべる人はまずいないだろう。ところが、アメリカ南北戦争のニューヨーク連隊と、第二次アングロ・アフガン戦争中の英国軍部隊には、ペットのニワトリが兵隊と一緒にいた。南北戦争のニワトリは、ビディという名の若い雌鶏だった。一八六三年六月二十七日付の《チェスター・クロニクル》には、ジョゼフ・フッカー将軍率いる師団に配属された北軍兵士の手紙の一部が掲載された。

「ニューヨーク州連隊の一部隊に、若い雌鶏をペットにしている兵卒がいる。その雌鶏はこれまでいくたび戦場で危険にさらされても、飼い主とともに生き延びてきた。ニワトリ愛好家の彼にすれば大切な取得物であるため、去年の夏以来どこへ行くにもこの雌鶏を連れている」

ビディは、連隊にいる唯一のニワトリだったが、孤独を感じてはいなかったようだ。大きな卵を毎日一個、飼い主に与えて、「ひとりで楽しく過ごしていた」という。ペットとしては風変わりだが、兵士たちには人気があった。《チェスター・クロニクル》が報じたとおり、「美形なので〝男ども〟にたいへん気に入られ、よく面倒をみてもらっていた」。

非正規のマスコットだったビディとちがって、第二次アングロ・アフガン戦争の英国軍第五十一歩兵連隊には、「連隊の一員」と見なされたニワトリのペットがおり、連隊の新聞《ザ・ビューグル》紙でも紹介された。その記事は一八七九年八月十六日付の《ウィットビー・ガゼット》紙に、こんな書き出しで転載されている。

「現在の連隊には常時、きわめて異色なペットが兵力として組みこまれている。ノミやクモや蛇のペットの噂はこれまでにもあったが、ニワトリというのは聞いたことがない」

「連隊のニワトリ」と呼ばれたこの雌鶏は、もともとは主計官のロバーツ大尉が飼っていた。ビディと同様に毎日卵を産んだが、困ったことに、産む場所にとてもこだわりがあった。紹介記事にはこう書かれている。

「［彼女は］卵を一個産むのを日課としていたが、なんとその場所は、恩知らずにも副隊長のテントで、それをやめさせる手立てがなかった。屈強な当番兵による何度かの鞭打ちすら、その習慣を変えさせることができなかった」

ロバーツ大尉は、なにをしても副隊長のテントでの産卵をやめさせられないので、いっそ、かわいい雌鶏を副隊長に進呈してしまおうと賢明な判断をくだした。この解決策が全方面をまるくおさめ、やがて雌鶏は「連隊の正規の構成員」になったと報告されている。雌鶏は兵士とともに無事に行軍し、「行軍路のどこにあっても、おそるべき規則正しさで毎日一個の卵を産んでいた」[62]。

十九世紀の兵士が戦場に同行させる動物としては、ニワトリはまさに実用的と思えるけれども、この二羽の連隊のニワトリはただ卵を産む以上の存在だったことが、これらの記事からうかがえる。彼らにとってニワトリはかけがえのないペットであり、マスコットだったのだ。二羽は戦争を生き延びただろうか？　アメリカ南北戦争は一八六五年に終わり、第二次アングロ・アフガン戦争は一八八〇年に終結した。ビディと英国軍連隊の雌鶏がもとの飼い主とともに故郷へ帰り、田舎の平和な農場で余生を過ごした可能性はおおいにある。彼女たちのその後の運命を伝える資料は残念ながら残っていないようだが。

牝牛と豚と雄鶏と、ビディのような雌鶏がいる19世紀の農家の庭。
［アルフレッド・W・クーパー『農家の庭』制作年不詳］

第5部

ウサギと齧《げっ》歯《し》類《るい》

野生の穴ウサギや地上ウサギは、ペットとして飼われている家ウサギとはまったく性質がちがった。［絵付師不詳（19世紀）、フィリップ・ライナグル（原画）『二匹の野ウサギ―― 丘の斜面にて』1805年頃］

19世紀のアメリカの博物学者ジョン・ジェームズ・オーデュボンが制作したリトグラフの風景には、3匹のシロアシネズミが描かれている。[ジョン・ジェームズ・オーデュボン『シロアシネズミ』制作年不詳]

22章

ロバート・バーンズとモスギール農場のネズミ

「ネズミや人間の用意周到な計画もうまくいかないことが多く」
『ネズミに寄せて』ロバート・バーンズ　一七八五年

今日、「ネズミと人間」というフレーズから想起されるのは、ジョン・スタインベックの小説『ハツカネズミと人間』（新潮文庫、一九九四年、大浦暁生訳ほか）のイメージと、いまや伝説的といってもいい主人公のレニーとジョージだろう。しかし、このフレーズを最初に思いついたのはスタインベックではなく、十八世紀のスコットランドの詩人ロバート・バーンズだった。バーンズは、一七八五年の詩『ネズミに寄せて、巣の中のネズミを鋤《すき》で掘り起こした際に、一七八五年十一月』に、イースト・エアシャーのモシュリン行政区にあったモスギール農場で畑を耕していたときのことを書いている。

ロバート・バーンズは、一七八四年に父親が死ぬと、弟のギルバートとともにモスギールへ移り住んだ。ふたりは、寡婦となった母親と母のもとに残った五人の弟や妹を養うために農場を始めた。小作農という役割を真剣に考えたバーンズは、農業全般や作物の栽培に関する本を読んで準備したが、ごく平凡な農夫になるつもりは毛頭なかった。モスギール農場で土を耕しているときでさえ、彼の頭は詩でいっぱいだった。バーンズは外で畑仕事をしながら頭のなかで組みたてた詩の一行一行を、毎晩、農場内にある家に戻ってから文字に起こした。一八五九年に刊行された伝記にはつぎのように書かれている。

「バーンズに名声をもたらした誠実な自然詩の多くは、モスギール農場でつぎつぎと生み出されたものだった。バーンズの非凡な創造的才能の原初の性質――詩全般にとってほぼはじめてといってもいい特徴――は、とりわけそれらの詩のなかに表れており、ワーズワースとその流れを汲む学派を通じて現代文学に強い影響を与えてきた。彼の詩にあるのは、なによりもまず、自然界のもの言わぬ命や見過ごされがちな美や、下等動物への思いやりと優しさである。そこでは自然が、人間の

1830年に制作された、スコットランドの国民的詩人ロバート・バーンズのメゾチント。［サミュエル・カズンズ＆ウィリアム・ウォーカー（版画）、アレクサンダー・ナスミス（原画）『ロバート・バーンズ』1830年］

感情を分かちあえる仲間と見なされている」[63]

小さな野ネズミの巣を鋤で掘り起こしたときのバーンズの反応ほど、この思いやりと優しさが伝わってくるものはない。バーンズは四頭の馬を使って畑を耕していた。この方法だと、馬を操る補佐役、通称ゴーズマンが必要になる。ゴーズマンが馬をまえへ進ませ、馬にひかせた鋤の動きをバーンズがうしろで調整した。この日のゴーズマンはジョン・ブレインという若者だった。鋤で壊された巣から野ネズミが小走りに出てくると、ブレインは追いかけて退治しようとした。バーンズはブレインを呼び戻し、おびえた小さな動物を痛めつけてはいけないと諭した。

この出来事のあと、バーンズは「もの思いにふけっている」ふうだった。[64]しばらくすると彼は、自分たちがうかつにも巣を壊してしまったネズミについての新しい詩を、ブレインに詠んで聞かせた。バーンズが鋤の横に立ってつくったこの詩は、『ネズミに寄せて、巣の中のネズミを鋤で掘り起こした際に、一七八五年十一月』と題された。

びくつき、おどおどする、光沢《つや》のある小動物よ、
おまえの胸は恐怖でどんなに震えていることか。
そんなにあわてふためいて、
　急いで跳び下がる必要はない。

おまえを鋤の土落として殺そうと、
　　　追いかけ回すなんてごめんこうむる。

本当に残念だ、人間の支配が
自然の社会的結びつきを壊すなんて、
しかも、その悪評を当然のことと考える、
　　　だから私を見ておまえはびっくりするんだ。
私はおまえと同じく土から生まれた哀れな仲間、
　　　同じ死ぬべき運命なのに。

おまえだって盗みをするだろうと、私は時折思うのだ。
それが何だっていうのだ、かわいそうな小動物よ、おまえだって生きねばならない。
二十四束の中からたまの一穂くらい、
　　　ほんのささやかな要求だ。
私は残りで十分やっていけるのだから、
　　　惜しいとは思わない。

おまえの小さな家も壊され、
もろい壁を風がまき散らしている。
そして今では新居を建てる
　緑の草が一本もない。
さらに寒々とした師走の風が、
　身を刺すほどに鋭く吹きすさぶ。

田畑が荒涼とむき出しになっているのを、
うんざりする冬がどんどんやって来るのを、おまえは目にした。
この突風のもとでは、この中でも
　住み心地がよいとおまえは思った。
ところがぐさり、おまえの住まいを
　無情な鋤先が貫いた。

葉や切り株のあの小さな山を作り上げるのに、
おまえは幾度となくかじりまわり、いかに疲れ果てたことか。
ところが今やその骨折りもむなしく、

住む家もなく追い出され、
冬のみぞれ混じりの霧雨や冷たい白霜に
耐えなければならない。

だがネズミよ、おまえ一人だけではない、
見込みどおりにならないことを身をもって知る者は。
ネズミや人間の用意周到な計画も
うまくいかないことが多く、
約束された喜びの代わりに、
悲しみと苦しみの中に放り出されるのだ。

でも私に比べればおまえは幸せだ。
おまえに触れるのは現在だけ。
しかし、おお、私の後を振り返れば、
寒々とした光景のみ。
先は見えないけれども、
恐れのみと察する。

（『ロバート・バーンズ詩集』増補改訂版、国文社、二〇〇九年、ロバート・バーンズ研究会編訳より引用）

ロバート・バーンズがモスギール農場で過ごした年月は、彼のキャリアにおいて「詩がもっとも上達した絶頂期」とされている。[65]『ネズミに寄せて』だけでなく、『二匹の犬（お話）』、『山のヒナギクに寄せて、鋤でその一本を掘り返した際に、一七八六年四月』、『愛と自由（カンタータ）』をはじめとする多くの詩や、有名な愛の詩の何篇かもこの時期に書かれた。モスギール農場はいまも個人が所有する現役の農場だ。そこに住む野ネズミたちのなかに、遠い昔、ロバート・バーンズに掘り起こされて〝びくつき、おどおどする小動物〟の子孫が何匹かいてくれたらと願うしかない。

23章

持ち運び可能なペットのウサギ

「飼いウサギはどんな動物よりも若者や子どもに人気があり、家庭用ペットとしての高い地位を長く保ちつづけている」

『ペットの気晴らし*Pet's Pastime*』（子ども向けの短篇小説集）一八八七年

ウサギ狩りや食用ウサギの飼育法に関する助言が書かれた、摂政時代とヴィクトリア朝時代のおびただしい数の本や雑誌を読むだけではわかりにくいが、飼いウサギ（家ウサギともいう）は、十九世紀のごく一般的なペットだった。当時の新聞には、ペットのウサギの盗難や、不注意な隣人の飼う犬や猫によって大事なウサギの寿命が縮められたことに対する補償請求など、ウサギをめぐる訴訟の記事がやたらと多い。こうした記事ではかならず、ペットのウサギは従順で穏やかなかわいい動物として語られた。おとなしく小さなペットというこの特性はどこでも便利に使われて、十九世紀の物語を読めば、「ペットのウサギほどにも穏やかな」性質の登場人物を何人も見つけることができる。[66] 妻選びをテーマとした、一八九五年のこんな新聞記事さえある。

「あなたの考える幸福が、かわいらしく無垢《むく》で手のかかるものをそばに置くことであるなら、あなたはそれを慈しんで幸せにしてやれるというのなら、どう考えても［妻を迎えるより］ウサギを飼うほうが望ましい」[67]

現代のわたしたちになじみ深い十九世紀のウサギといえば、やはり児童文学の名作に登場するウサギたちだろう。ルイス・キャロルが一八六五年に発表した『不思議の国のアリス』（角川文庫、二〇一〇年、河合祥一郎訳ほか）の白ウサギ、そして、二十世紀への変わり目にビアトリクス・ポターが生み出したピーターラビットとベンジャミンバニー。しかし、十九世紀の文学に登場するウサギはこの三匹だけではない。ペットのウサギは多くの児童書で主人公となっていて、ヴィクトリア朝時代はとくにその傾向が強い。たとえば、一八七三年刊の『スノウドロップ――ある白ウサギの冒険 *Snowdrop; or The Adventures of a White Rabbit*』では、白ウサギのスノウドロップの視点で物語が進み、擬人化された雄ウサギが、上流階級の全寮制女子校のウサギ小屋に生まれた日から田舎暮らしの老後までの生涯を語る、という趣向になっている。スノウドロップは田舎での余生を思いきり自由に楽しむ。

十九世紀の現実のウサギたちは、スノウドロップとはちがって、かならずしもウサギ小屋へ追いやられていたわけではなかった。むしろ、ウサギはその小ささゆえに、たいへん持ち運びしやすいペットだった。また、バスケットに入れて運んでも、たいていは猫よりはるかに落ち着いていた。一

ジョン・ホップナーのこの絵に描かれたウサギのように、18、19世紀には、おとなしいウサギは子どもにうってつけのペットと考えられていた。[ジョン・ホップナー『ウサギを抱く少女』1800年頃]

八七五年四月十四日付の《シールズ・デイリー・ガゼット》紙には「ウサギのジョー」の話が載っている。年若い飼い主は、溺愛するペットのジョーの写真を撮るために、ジョーを連れて町に出かけようと決め、バスケットにそのウサギを入れて、二マイル（約三・二キロ）離れた町の写真館を訪れた。そのときの様子がこう語られている。

「ウサギの写真を撮ってほしいと頼むと、写真館の主人はできないと言って途方に暮れた。それから、ある婦人に依頼されて猫の撮影をした経験を話しはじめた。あと少しで撮影が終わろうかというところで、猫が逆上したそうだ。ジョーは急に怒りだしたりしないとぼくが請けあうと、主人は撮影の準備にとりかかった。ぼくは椅子に腰掛け、ジョーを膝にのせた」

写真館の主人が心配するのも無理はなかった。一八七〇年代には、被写体はネガフィルムが露出されている数分間、じっと動かずにいる必要があった。ちょっとでも動けば、できあがった写真がぼやけてしまうからだ。でも、ジョーの場合はいらぬ心配だった。ジョーは撮影の最初から最後まで、飼い主の膝の上で身動きひとつしなかったから。ようやく撮影が終わってからのことも書かれている。

「写真館としてはジョーの写真を撮るとは思ってもみなかったので、いくら請求すればよいやら見当がつかず、結局、ジョーの撮影料は無料《ただ》になった」

ペットのウサギは、町へ連れていってもらうだけでなく、バスケットに入れられたり飼い主の腕に抱かれたりして、もっと遠くまで旅する特権をしばしば与えられた――海外へ行く飼い主に同行することさえあり、その結果、ときに旅先の職員ともめることもあった。一八九三年八月一日付の《ロンドン・イヴニング・スタンダード》紙に載った投書には、ペットのウサギを連れてイタリア旅行をした英国の家族の話が語られている。投書の主は一家の怒れる父親だった。

「その月の上旬、わたしは妻とふたりの子とともにトリノからジェノバまで列車に乗った。運賃はひとり十五フラン、荷物も同額だった。十三歳になる下の娘は、ペットの小ウサギを入れたバスケットを提げていた。ジェノバまでの道中、たまたま扉のそばを通りかかった集札係がウサギに気づき、すかさずウサギの運賃として十二フランを要求した」

自分の切符代がわずか十五フランなのに、ウサギに十二フランとは法外だと憤慨した父親は、支払いを拒否した。すると、ジェノバに着いたところで駅長に報告がなされ、駅長は小ばかにしたように支払額を「十一フラン六十サンチーム」に下げた。父親は最終的にはその運賃を支払わざるをえなかった。ところが、話はこれで終わらなかった。さらにこう続く。

「仕返しのつもりか、駅の職員たちはわたしの荷物の一部を開けて見せろと言いだした。ほかにもウサギが見つかるかもしれないと思ったのだろう。だが、それでもまだ終わりではなかった。獲物のにおいを嗅ぎつけた入市税関職員が三十サンチームを要求した。このウサギはペットであって、家族で食べるパイ用の肉にするウサギではないと説明したにもかかわらずだ」

イタリアの税関職員は、この父親の主張するとおり金を巻きあげたのだとしても、少なくともウサギを列車に乗せてくれたではないか、と考える人がいるかもしれない。ペットのウサギと旅をしていたアメリカの婦人は、豪華列車プルマン・パレス・カーの荷物係の奇妙な理屈のせいで、幸運とはいいがたい目に遭った。一八八四年のこの滑稽な出来事は、英国とアメリカ双方の新聞で報じられた。

「プルマン・パレス・カーの荷物係は、婦人がペットのウサギを客車内に持ちこむことを認めなかった。婦人はほかの乗客が連れている小さなカメを指さし、どうしてカメはよくてウサギはだめなのかと尋ねた。『猫は犬、ウサギも犬』の扱い、『でも、カメは虫』の扱い、というのが荷物係の断固たる回答だった」[68]

列車の旅に苦労がついてまわったとはいえ、ウサギは十九世紀を通じて好まれたペットだった。人気の高さでは、犬はもちろん猫にもおよばないだろうが、ウサギを愛する人々にとってはほかのペットの動物と同じく、欠くことのできない家族の一員になっていた。

第6部

爬《は》虫《ちゅう》類《るい》と魚類

投棄された漁船に集まる鮫の群れ。［ウィンスロー・ホーマー『鮫、または、うち捨てられた船』1885年］

24章
水夫と鮫《さめ》

「彼の消息はもはや期待できなかったが、前述の状況から、鯨の腹のなかでのヨナと似たような運命をたどったことはわかっている（若きトンプソンの柩は生きている鮫だった）。ただし、ヨナほど幸運でなかったトンプソンは、腹のなかから出てこられなかった（ヨナは三日三晩、大魚の腹のなかにいた。新約聖書『マタイによる福音書』十二章三十九〜四十節）」
《ノーサンプトン・マーキュリー》紙　一七八七年十二月十五日

テムズ川の深みには巨大な水生生物がひそんでいる、という噂は何世紀もまえから絶えたことがなく、なかには事実に基づく噂もあった。十八世紀から十九世紀にかけて、テムズ川でネズミイルカが見つかるのは珍しくなかったし、一度などは漁師が小型の鯨に遭遇したこともあった。そうした話のなかでもっとも有名であると同時に、もっとも奇想天外なのは、一七八七年にテムズ川で捕獲された人喰い鮫の実話だろう。

一七八七年一月一日、漁師の一団がテムズ川で一頭の鮫を発見し、大奮闘のすえに捕獲して船に引きあげた。鮫は生きていたが、やけに具合が悪そうだった。原因はすぐに判明した。漁師が鮫を

19世紀初頭のテムズ川の景色はこんなふうだった。［ジョン・ヴァーリー『チェルシー・オールド教会を望むテムズ川の風景』1810-15年］

陸にあげて腹を切り開いてみると、銀時計と鎖と紅玉髄《カーネリアン》の印章が出てきた。一七八七年十二月十五日付の《ノーサンプトン・マーキュリー》によれば、漁師が見つけたもののなかには「金モールの装飾品もいくつかあった。いずれも食欲旺盛な鮫にのみこまれたどこかの若い紳士の持ち物だったと推測される」

よく見ると、銀時計に製作者名と製造番号が刻まれていることがわかった――ヘンリー・ワトソン、ロンドン、一三六九番。ワトソン氏はショアディッチに住んでいて、当該の時計についての問い合わせに対して、それは自分がつくったものだと答えた。以下、《ノーサンプトン・マーキュリー》の記事を引用する。

「……二年まえ、ホワイトチャペルに住

むエフライム・トンプソン氏にその時計を売りました。コースト・アンド・ベイへ向かうヴェイン船長のポリー号で初航海する（いわゆるモルモットとして）息子さんへの贈り物だと聞いています」

モルモットというのは、技能不足もしくは経験不足の水夫を指す船乗りの隠語だが、若いトンプソンをあらわすにはぴったりの言葉だった。ポリー号は出航後ほどなく、ファルマス沖九マイル（約十四キロ）付近で雨まじりのスコールに襲われ、一七八七年発行の《ニュー・アニュアル・レジスター》誌によれば、「トンプソン氏は海に落ちて、そのまま姿が見えなくなった」

トンプソンが海で死んだという知らせを受けたロンドンの家族と友人は、続報があろうとは思っていなかった。だから二年も経ってから、トンプソンの時計や衣類が鮫の腹のなかで見つかったという身の毛がよだつ知らせは、愛する者を失った彼らにとって、ありがたくもない新情報だっただろうと思う人もいかもしれないが、トンプソンの父親はその知らせによって、気持ちの整理がある程度ついたようだ。彼はすぐさま鮫の死骸を買い取ると、息子の追悼のために展示した。《ノーサンプトン・マーキュリー》はこう報じている。

「エフライム・トンプソン氏は〝息子の処刑人〟である鮫を買い取った。時計や衣類は息子が最後に遺してくれたものだと思うことにしたという」

トンプソンの父親は、息子の時計と衣類が鮫の体調を大幅に狂わせたと知って、いくらか満足感も覚えた。《ニュー・アニュアル・レジスター》にはこう書かれている。

「人体やほかのものは消化または排泄されていたが、時計と金モールの装飾品だけは消化も排泄もかなわず、それが原因で鮫は具合が悪くなっていた。捕獲されなくてもじきに死んでいた可能性が高い」

この出来事は多くの点で注目に値した。鮫は、犠牲者の所持品をロンドンまで返しにきたうえに――これだけでもとてつもない珍事である――それまでにテムズ川で発見された鮫のうち、もっとも大きな体をもっていた。

「鼻の先から尾の先までの長さは九フィート三インチ（約二・八メートル）、肩から胴体の終わりまでの長さは六フィート一インチ（約一・九メートル）、胴囲のもっとも太い部分は六フィート九インチ（約二・一メートル）、開いた状態の顎の幅は十七インチ（約四十センチ）。歯は五列。年齢は五歳と推定された」[69]

一七八七年の鮫は、いまなおテムズ川で捕獲された最大の鮫だが、唯一の鮫ではない。一八九一年十一月二日付の《ダンディー・イヴニング・テレグラフ》紙は、テムズ川で発見された体長六フィート（約一・八メートル）の鮫が「ロッテルダムの港からオランダ船のあとについてはるばるやってきた」と報じている。

オランダ船の船長は自分の赤ん坊を船に乗せていて、鮫が狙っているのは我が子だと確信した。ロンドンに着くなり、船長は鮫の捕獲に一ポンドの懸賞金をかけると発表した。数日間で多くの人が挑戦して失敗したが、ついに「重量挙げの元チャンピオン」、チャールズ・マッケンナという男が「牛肉をつけた巨大なタラ用の釣り針」を使ってどうにか捕獲に成功した。

一八九八年、こんどは漁網に掛かって、またもテムズ川で鮫がとらえられた。九月十二日付の《モーニング・ポスト》紙によると、鮫の体長は五フィート（約一・五メートル）。もちろん映画『ジョーズ』のホホジロザメほど大きくはないが、ヴィクトリア朝時代の人々を震えあがらせるにはじゅうぶんな大きさだった。

これらの鮫の種類はなんだったのか？　どの記事も種類には言及していないが、一九〇三年にジェイムズ・ムーリー博士が発表した論文〈テムズ川河口における海水魚の漁場と水産業に関する報告 *Report on the Sea Fisheries and Fishing Industries on the Thames Estuary*〉には、テムズ川にはいってきた可能性のある比較的大きな数種類の鮫として、シュモクザメ、オナガザメ、ネズミザメが記載されている。

エフライム・トンプソンの息子が初航海で船から海へ落ちたあと、実際になにが起きたかを想像するのは難しい。二年後にテムズ川で発見された鮫は、ほんとうに彼を喰い殺した鮫だったのだろうか？　ひょっとしたら、たまたまトンプソンの体の食べ残しにあずかっただけの鮫ではないのか？　歴史はこの答えを用意していないが、この恐ろしい出来事の一部始終を知らずとも、一七八七年のテムズ川の鮫の話が、イングランドの動物史上もっとも奇想天外な話だと理解することはできるだろう。

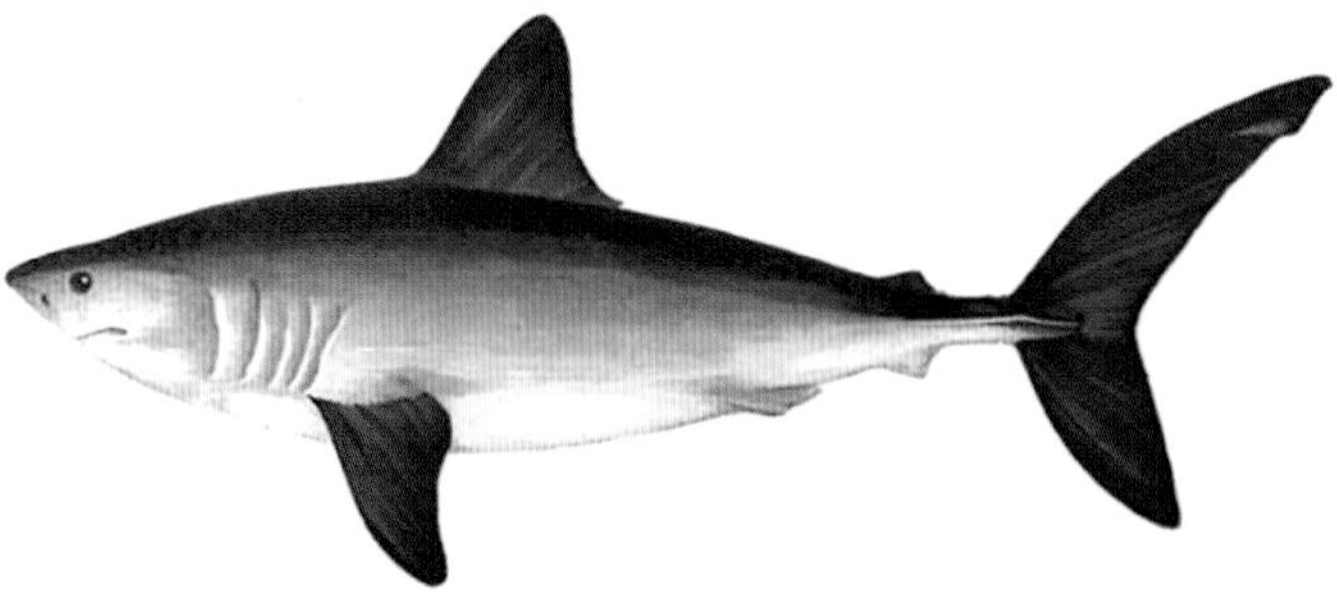

ネズミザメは、18、19世紀にテムズ川までやってきた可能性のある多種多様な鮫のほんの一例である。［ジョナサン・クーチ『ネズミザメ』1862-65年］

25章　テムズ川の鰐《わに》

「テムズ川で発見された鰐はどうやって大西洋を渡ったのかと尋ねたところで……詮《せん》ないことだ」

《パンチ》誌　一八七〇年

一八七〇年の春、バーモンジーに住む船頭のW・ポクリングが荷船を漕いでテムズ川をのぼっていると、体長四フィート（約一・二メートル）の鰐が泳いでいた。一八七〇年四月二十三日付の《エセックス・ニュースマン》紙によれば、鰐は「生きていたが、かなり弱っていた」ので、ポクリングはなんとか鰐をとらえて船に引きあげた。岸に着くと、若い男ふたりの助けを借り、ラトクリフ街道のチャールズ・ジャムラックのところまで運んだ。

ジャムラックは野生動物や自然界の不思議なものを扱う有名な輸入業者だった。悪い評判もなくはなく、十三年まえには、輸入したベンガル虎が檻を抜け出し、イーストエンドの街頭で十歳の少年に大怪我をさせていた。虎はつかまったが、少年の父親は損害賠償を求めてジャムラックを訴え、最終的に六十ポンドの賠償金を勝ち取った。

ベンガル虎の事件のあとも、ジャムラックは危険な動物の輸入をやめようとはしなかった。ラトクリフ街道に開いた動物の見世物小屋には、ライオン、虎、猿、カンガルー、シマウマ、風変わりな鳥、さらに各種の爬虫類を堂々と展示しただけでなく、商品としても売っていた。一八五八年には短期間ながらもサイを置いていた。見世物小屋の管理の仕方に疑わしい点はあったが、希少動物の種類を特定する彼の手腕に疑問を差しはさめる人間はいなかった。

ポクリングにとって不運だったのは、テムズ川で捕獲した鰐をジャムラックに見せても、種類を特定してもらえなかったことだ。しかも、ジャムラックは、その鰐は自分のものだと主張した。それだけではすまず、ジャムラックに言わせれば、その鰐は鰐でさえなかった。一八七〇年四月二十日付の《モーニング・ポスト》紙はこう伝えている。「ジャムラック氏は、持ちこまれた爬虫類は鰐ではなく、数日まえに自分のもとから逃げ出した蜥蜴《とかげ》であると語った」

ポクリングは、テムズ川で見つけた生き物が見世物小屋から脱走した動物だという話を信じなかった。それが鰐以外の動物だということも信じなかった。彼は断念するのをよしとせず、その足でテムズ警察裁判所へ行き、自分がとらえた鰐をジャムラックが違法に拘束していると申し立てた。

ポクリングの話を聞いた治安判事は、ジャムラックには「鰐を拘束するいかなる権利もない」とその場で断じた。[70] 警官を送って話をさせ、鰐がすみやかに返されない場合は召喚状を発付するとも言った。この時点ではまだジャムラックの聴取はおこなわれていない。《モーニング・ポスト》によれば、巡査がラトクリフ街道へ出向いて話を聞くと、ジャムラックは、鰐は自分のコレクションから逃げ出した蜥蜴だという主張を繰り返した。

「［ジャムラックは］その爬虫類は見世物小屋から三百ヤード（約二百七十メートル）ほど離れたロンドン・ドックにはいりこみ、閘門《こうもん》のひとつから川へ出たのだと信じて疑わなかった」

ジャムラックはさらに巡査にこう語った。自分のところへ戻ってきたときの蜥蜴は疲れきっていたので、元気を取り戻させるために温かい風呂に入れてから、フランネルで体をくるみ、暖炉の火にあたらせた。すっかり回復したところで、ロンドン動物園へ送ったのだが、「判事の望みとあらば使いをやって、そちらに送り届けさせよう。じっくりと調べていただきたい」

最終的には、ジャムラックも蜥蜴も判事のもとへ行かずにすんだ。ポクリングは、巡査の報告を聞いたあとも、あれは鰐だと言い張ったが、判事は、生物の種類の特定にかけては、ポクリングよりジャムラックのほうがはるかに適格であると結論した。判事による召喚状の発付を拒まれたため、ポクリングが本件で救済を求めるには州裁判所に上訴するしかなかった。

そうこうするうちに、テムズ川に鰐が現れたという奇妙な事件は大衆の好奇心をかきたて、新聞も雑誌も鰐はどこから来たのかと憶測をめぐらした。一八七〇年四月二十一日付の《サザン・レポーター》紙は、「珍しい生き物」としてイングランドに持ちこまれた鰐が脱走を図ったものの、テムズ川で力尽き、それ以上先へは逃げられなかったとしている。その一方で、一八七〇年の《パンチ》

19世紀、ロンドン動物学協会の動物園で飼育されていた鰐。[トーマス・ケリー『ロンドン動物学協会の動物園の鰐』19世紀]

の記事には、鰐がどこから来たかということなど、たいした問題ではないと書かれている。

「テムズ川で発見された鰐はどうやって大西洋を渡ったのかと尋ねたところで、ひょっとしたら、輸入された鰐がジャムラック氏またはロンドン動物学協会に送られる船から脱走したのではないかと推しはかったところで、詮ないことだ。ただし、もっと上手に推測を進めて、こんなふうに考えることはできるかもしれない。テムズ川に鰐が現れたことに驚くのは当然としても、ナイル川に現れた最初の鰐を見た人々の驚きは、わたしたちの驚きとは次元がちがったのではないかと」

興味津々だった大衆は、その後、ジャムラ

ック氏の話が一から十までほんとうだったと知り、おおいに落胆することになる。テムズ川で見つかった鰐は、じつは「コモチカナヘビ」つまり蜥蜴だったのだ。ポクリングとジャムラックの一件はこれで決着がついたようだが、テムズ川に鰐が現れたと報告があったのは、一八七〇年の事件だけではなかった。一八三六年十月二十一日付の《ロイヤル・コーンウォール・ガゼット》紙には、テムズ川で荷船の舵をとっていた男が「川のなかで微動だにしない黒い物体を見つけた」話が載っている。

「川から引きあげようとすると、［それが］動きだした。男の片手は一瞬でずたずたになったが、なんとか荷船に引きあげた。相手が若い鰐だとわかると彼は仰天した。鰐はサリー動物園に買い取られ、身柄を移された」

一八九七年の夏には、一ヵ月以上もテムズ川で暮らした鰐がいた。ウェイブリッジにあるドイリー・カート氏（英国の演劇プロデューサー）の屋敷から脱走した鰐だった。一八九七年七月十二日付の《エクセター・アンド・プリマス・ガゼット》紙には、逃げ出した鰐は川へはいり、「しばらくひとりで遊んでいるところを目撃された」とある。この風変わりなペットをなんとしても取り戻したいドイリー・カート氏は鰐を捕獲して連れ戻してくれた人に賞金を出そうと発表した。ところが、同紙によると「人々がいくらがんばっても鰐はつかまらなかった」。

テムズ川を泳ぐ鰐の姿がひんぱんに目撃されるようになって一ヵ月後、ドイリー・カート氏は懸賞金の額を上げた。これが地元の船頭の意欲をかきたて、本格的な鰐の捜索が始まった。しばらくすると船頭の一団は逃げ上手な鰐を網でとらえ、飼い主のもとへ戻すことに成功した。一八九七年七月十六日付の《ウェスタン・ガゼット》紙によれば、鰐は「一ヵ月も川にいたのに、以前とかわらず元気だった」。

現在では、テムズ川の水は冷たすぎて短時間でも鰐にはきついというのが定説になっている。それでもたまに、鰐がテムズ川を泳いでいたとか、川のほとりで日光浴をしていたとかいう報告がある。そのほとんどは誤りだったとあとから証明されているのだが、歴史がなんらかの判断材料であるなら、そうした話も頭から無視するべきではないだろう。

大きな鰐に追われるヴィクトリア朝時代の男の挿絵。[『鰐に追われて』1883年]

第7部 珍奇なペット

スイスの動物画家ジャック＝ローラン・アガセによるアカギツネの習作。［ジャック＝ローラン・アガセ『狐の習作』1810-30年］

26章

リッチモンド公爵の牡狐とドナレイル子爵の牝狐

「（公爵は）たいへんお喜びのご様子で、その狐を手に入れたいという希望を態度にしめされた」

《ジェントルマンズ・マガジン》誌、一八一九年

狐は十八世紀も十九世紀も一般的なペットではなかった。にもかかわらず、第四代リッチモンド公爵チャールズ・レノックスも、第四代ドナレイル子爵ヘイズ・セント・レジャーも、一時期、狐をペットにしていた。この一風変わったペットの選択はふたりのどちらにも好ましくない結末をもたらす。公爵は一八一九年に、子爵は一八八七年に世を去ったが、両者ともペットの狐に咬まれたことが原因で痛ましい最期を迎えたのだ。

リッチモンド公爵は、一八一九年八月二十八日にカナダのオンタリオで死去した。イングランドの新聞各紙は当初、公爵が病気になったのは、過労に加えて旅行中に足を濡らすことが多かったせいだと伝えていたが、実際には、公爵はペットの狐に咬まれて恐水病すなわち狂犬病に罹っており、その結果として命を落としたと後日修正した。

1807年に制作された、第4代リッチモンド公爵、チャールズ・レノックスのメゾチント。［ヘンリー・マイヤー『第4代リッチモンド公爵、チャールズ・レノックス』1807年］

公爵がペットの狐に咬まれたのは、その狐を買い取ってまもなくのことだった。当時「カナダズ」と呼ばれた地域（英国植民地時代のアッパーカナダとロワーカナダの州の通称。リッチモンド公爵は一八一八年に総督となっている）の視察旅行中、愛犬のブラッチャーを連れて地方の村を歩いていると、ブラッチャーがそばをうろつく狐に気づいた。狐はとても懐っこく、しばらくするとブラッチャーと戯れはじめた。一八一九年の《ジェントルマンズ・マガジン》に掲載された私信の抜粋によれば、愛犬が夢中で狐と遊ぶ姿を見た公爵は、「たいへんお喜びのご様子で、その狐を手に入れたいという希望を態度にしめされた」。

公爵が狐をご所望らしいと聞いた使用人のひとりが、あれこれ手配をしてその日の夜に狐を手に入れた。前述の私信によると、翌朝、チャールズ・サクストン卿は、使用人の住居のまえに狐がつないであるのを見つけた。狐は「強い陽射しのもとに拘束されてずいぶん気が立っている」ようだったので、チャールズ卿はもっと日陰へ移すよう使用人に言った。狐は公爵邸へ連れていかれ、入り口の門につながれた。

その朝、公爵は邸宅を出るなり、外につながれている狐に気がついた。前日の狐だとわかると、狐に近づいて「昨日のきみだね？　かわいい友よ」と声をかけた。チャールズ卿は公爵が狐に触れるのを止めようと、狐がひどくいらだった状態にあることを告げ、注意しないとこの小さな野生動物に咬まれてしまうと忠告した。公爵は意に介さず、伝えられるところによれば、「いやいや、この小さな友達はわたしを咬んだりはしない」と応じた。そして手を伸ばし、狐の頭を撫でようとした。前述の私信には、「狐は反射的に公爵に咬みつき、片手の甲に三すじ、血が流れるほどの傷を負わせた。公爵はすぐさま手を引っこめて、こうおっしゃった。〝ほんとうに思いきり咬みつくんだね、おちびさん〟」と書かれている。

一八一九年十月三十日付の《グローブ》紙によると、リッチモンド公爵は、翌朝には「肩に違和感」を覚えていた。だが、ほかの症状が現れたのは、八月末に視察旅行を終えて屋敷に戻ってからだった。このとき、公爵は、ワインの水割りを一杯飲むと「妙な感じ」がすると訴えた。その夜、地元の外科医が往診にやってきて瀉血《しゃけつ》をした。治療のあとはだいぶ気分がよくなったので、翌朝は散歩に出かけ、森のなかを長いこと歩いた。公爵が最初に水に対する異常な嫌悪感をしめしたのは、この散歩の途中だった。一八一九年十月二十七日付の《モーニング・クロニクル》紙にこう書かれている。

「公爵は沼が目にはいると、慌てふためいて柵を飛び越え、隣接する納屋に駆けこんだ。お伴の者たちは動転し、必死で追いかけた」

こうした水への嫌悪感は強まるばかりだった。《ジェントルマンズ・マガジン》掲載の私信によると、公爵は「森でいちばん細い小川」でも、渡らなければならないときはいつも怒りをあらわにした。一度、「水の景色を避けるかのように森へ逃げこんだ」こともあった。このころ病気は急速に進行していて、《モーニング・クロニクル》によれば、「やっとのことで公爵は屋敷に近い粗末な離れ家へ移された」。

リッチモンド公爵は、スイス出身の献身的な使用人の看病を受けながら、その粗末な離れ家で最期の時間を過ごした。つねに正気というわけにはいかなかったが、ときどき頭が冴えることもあった。そんなあるとき、公爵は娘のレディー・メアリー・レノックスへの手紙を口述筆記させた。手紙は、五ヵ月まえにお気に入りのペットの狐に咬まれたこと、その狐がのちに狂犬病を発症したことを娘に思い起こさせる内容だった。公爵はこの回想の手紙を書きながら、「運命の最期の瞬間が近づいていることを悟った」のだと《モーニング・クロニクル》は伝えている。

一八一九年八月二十八日の早朝、公爵は息を引き取った。《ジェントルマンズ・マガジン》に載った私信には、最期の瞬間まで「拷問のような苦痛」に責めさいなまれていたとある。一方、《モーニング・クロニクル》の記事には、短いあいだだったが死病に苦しむ主人につきっきりで看病をした、忠実なスイス人の使用人の「腕に抱かれて息を引き取った」と書かれている。

不思議なめぐりあわせというべきか、《ジェントルマンズ・マガジン》でリッチモンド公爵の訃報と並べられていたのが、アイルランドの第二代ドナレイル子爵ヘイズ・セント・レジャーの訃報だった。それから六十八年後の一八八七年、孫の第四代ドナレイル子爵もまたペットの狐に咬まれて死ぬことになる。

セント・レジャーは名うての狩猟家で、「狐狩りにかけては世界屈指の大家」と広く認められていた。[71] 彼は子狐のころから育てたおとなしい牝狐を飼っていて、一緒に馬車に乗せて出かけることもよくあった。そんなある日、御者が馬車に乗せようとすると、狐は御者を咬み、そのあとドナレイル子爵にも襲いかかった。

狐に咬まれたとき、子爵は手袋をしていた。それでも念のために御者とパリまで行って、当時、狂犬病ワクチンの開発に着手していた著名な科学者、ルイ・パスツールの治療を受けようとした。ふたりがパリに着いたとき、あいにくパスツールは不在だったため、その帰りを待つことにした。およそ一週間後、パスツールが戻り、ドナレイル子爵と御者の治療が始まった。

ドナレイル子爵がパスツールの治療を最後まで受けたかどうかということについては諸説ある。長い治療に子爵が飽きてしまって、アイルランドのコーク州にある一族の屋敷、ドナレイル・コートへ戻ったという記事もあれば、必要な治療を受けてから帰国し、パスツールも「危機を脱した」と請けあったという資料もある。[72] いずれにせよ、治療が成功してはいなかったようだ。一八八七年九月三日付の《バリミーナ・オブザーヴァー》紙にはこう書かれている。「パスツール氏の治療はすでに手遅れだったにちがいない。不運な貴族は病に伏し、恐水病により金曜日に永眠した」

子爵が死んだのは八月二十六日の朝、場所はアイルランドのドナレイル・コートで、当時の新聞各紙は恐水病による死と報じた。当の狐は、ドナレイル子爵夫人が診察のために地元の獣医のもとへ送ったところ、入院から二日後、病死した。死後に検査がおこなわれ、狐もやはり恐水病に罹っていたことが確認された。

27章 ヴィクトリア朝時代のノミのサーカス

「ノミはよく飼い慣らされ、きちんと躾も受けている、と大衆は信じていた。今日でもそう信じているはずだ。良識ある人々が、創意と忍耐が成し遂げうることの事例として、〝勤勉なノミの見本市〟を大まじめに提案するのを聞いたこともある」

《ノーツ・アンド・クエリーズ》誌　一八五八年

十九世紀、ノミのサーカスは人気のあるサイドショー（本興行のおまけの見世物）だった。しばしば「世界最小のサーカス」と銘打たれたこのショーでは、ノミがごくふつうのディナー皿サイズのリングで、ジャグリングや綱渡りといった多彩な曲芸を披露した。団員のノミたちには並はずれた知力があると喧伝されていた。むろん、そんなことはあるはずもない。ノミの芸は本人の知力のなせる技などではなく、ほぼノミのサーカス団長の演出手腕に負っていた。

事実はそうであっても、ノミの調教師はノミの選抜や訓練の方法を、ヴィクトリア朝時代のメディアで得意げに語った。ノミには道徳心も知力もあり、目利きの調教師に見いだされることによって、それらが確固たる職業倫理と見事な曲芸に転じうる。そう信じている調教師までいたらしい。とはいえ、すべてのノミがサーカスに入団できるほど賢いとはさすがに考えられていなかった。一八八六年の《セント・ニコラス・マガジン》誌の記事はこう説明している。

「すこぶる覚えの早い生徒もいれば、なにをどう教えてもだめな生徒もいるので、一座が結成されるまでには、おびただしい数のノミが実験台にされる」

ノミのサーカス団長はたいてい調教師を兼ねており、もっとも知能が高いと見こんだノミたちを選抜したのち、厳しい訓練期間を課した。その第一段階は、ノミの腹部に金色の針金や撚り糸や髪の毛など、細いものを巻きつけて装具《ハーネス》にすることだった。非常に細かい手作業なので、顕微鏡または拡大鏡、それにピンセットを必要とした。

ハーネスの装着がすめば、訓練の第二段階を始めることができる。ここではおもに跳躍が焦点となった。サーカスのノミが高く跳ねすぎることが望ましくない理由はいくつかあったが、暴れん坊のノミがリングの外に勢いよく飛び出して、予定より早くショーを終わらせてしまうという事態だけはなんとしても避けたかった。ノミのこの跳躍欲を抑えこむため、十九世紀のノミの調教師のほとんどが同じ手段を用いていた。ノミを小さなガラス瓶か金属の指ぬきに閉じこめて、跳ぶとかならず頭が壁にぶつかるようにしたのだ。数週間この状態におくと、ノミは跳躍欲を捨てたと報告さ

ヴィクトリア朝時代の衣装を身につけ、当時の乗り物の御者や乗り手になったノミが描かれている。［『気ままにレース』《セント・ニコラス・イラストレイテッド・マガジン》1899年］

れている。

こうして教訓を得たノミはすぐにも知的なノミの一座に仲間入りできた。入団したノミたちは日々特訓を受けてから、ようやく観客に芸を披露することになる。ノミのサーカスの観客とは、通常はサーカス・リングをぐるりと囲める数の人間で、彼らはみな虫眼鏡を手にしていた。客がやってくると、団長はリングを観客のまえのテーブルに置いた。リングの縁には曲芸師のはいった小箱がいくつも並べられていて、団長が声をかけると箱の扉が開き、ノミたちがリングに躍り出るのだった。

ノミがつぎになにをするかは団長の創造力ひとつにかかっていた。〝セニョール・ベルトロットの勤勉なノミの見本市〟——ヨーロッパの王族に芸を披露した経験もある一八三〇年代の有名なノミの一座——では、ノミたちが人間の活動を真似したさまざまな活動に携わった。ノミのダンスホールでは、ノミたちがダンスを踊ったり楽器を演奏したりした。ノミの占い師もいれば、ノミの決闘もあった。ノミの乗り物には四輪の郵便車や二頭立ての車があり、乗客も御者もノミだった。
　一八六九年の〝勤勉なノミの見本市〟最終公演の呼び物は、機関車を運転するノミ、戦艦の列をひくノミ、重砲を運ぶノミで、さまざまな軍艦や兵器を指揮下におく英国陸軍と英国海軍のノミ将校の存在が、この演目の軍国主義的な雰囲気をいっそう濃くしていた。つぎのような記録が残っている。

「（陸軍の）あるノミが砦《とりで》のうしろから撃った大砲の破壊力のすさまじさは、まぬけにも近くにいた民間ノミを倒すにとどまらず、上官の数名を死なせるほどだった（その結果、撃ったノミが昇進した）[73]」

《セント・ニコラス・マガジン》に紹介された一八八〇年代のノミのサーカスでは、競争という面が強く押し出された。幕開けはノミの徒競走だ。色の異なる薄紙をまとった五匹のノミが勢いよく飛び出すと、狂ったようにリングを跳ねまわり、所定のゴールラインを最初にまたいだノミが優勝者と見なされた。つぎの演目はノミのダンス。薄紙の衣装をつけてペアを組んだノミたちが、またしても勢いよく飛び出してリングで跳ねまわり、相応の混乱状態《カオス》におちいった。
　そのあとの障害物競走では、セニョール・ベルトロットの一座と同じく、多数のノミが豆粒のような馬車ならぬノミ車に金色の糸状の針金でつなげられ、リングに放たれた。エンドウ豆よりも小

“ルーマニアから来たリコンティ師範のノミのサーカス”によるロンドン公演の広告。ノミのサーカスでおなじみの多彩な活動に精を出すノミたち。［『ルーマニアから来たリコンティ師範のノミのサーカス』《ストランド・マガジン》1896年］

さい「四頭立ての遊覧ノミ車」、四分の一インチ（約〇・六センチ）未満の「犬ぞり」、続いて、人の髪の毛か動物の剛毛のようなものでつくったとおぼしき「繋駕速歩《トロッティング》用の一匹乗り一頭立てのノミ車」が。

それからまた、ノミのカオスが繰り広げられた。遊覧ノミ車をひくノミたちは「大暴れ」をし、犬ぞりを駆るノミは振り落とされ、一匹乗り一頭立てをひくノミは車と一緒に宙に舞いあがった。ちょっとのあいだ完全な無秩序状態と化したが、手練《てだ》れの団長がピンセットを用いると、ノミたちはたちどころに秩序を取り戻した。

数あるノミのサーカスのグランド・フィナーレは綱渡りだった。一八八〇年代のノミのサーカスにおける綱渡り芸の花形といえば、「世界にその名を轟かせる綱渡り師」と謳われたノミ、「セニョール・プレックス・イリタンチ」である。

団長がリング上に二本のピンを四インチ（約十センチ）間隔で刺し、銀色の針金をかける。そこへ、カットグラスの瓶に入れられたセニョール・イリタンチが登場する。団長はこの有名なノミを綱渡りの針金にのせる。《セント・ニコラス・マガジン》はこんなふうに書いている。

「彼は針金の上に大胆な一歩を踏み出した。小さいかぎ爪のようなつま先と針金の太さがぴったり合っているようだった。渡る途中で一瞬、バランスを崩しかけた。綱渡りは落ちたら一巻の終わりだ。が、彼はいちばん長い二本の肢でもちこたえた。ふたたび進みだし、無事に渡りきって、ノミのサーカスを締めくくった。少なくともこのときは」

出番が終わったノミたちは給餌のためにハーネスを解かれた。ノミの生命を維持するには血が必要だ。血なら団長や調教師がたやすく提供できるので、自分の腕の裏

サーカスのノミが綱渡りをしている。［『綱渡りをするセニョール・プレックス・イリタンチ』《セント・ニコラス・イラストレイテッド・マガジン》1899年］

側や手の甲の血を好きなだけ吸わせることが多かった。毎晩三十二匹ものノミに自分の血を吸わせた、一八六九年の〝勤勉なノミの見本市〟の調教師のようなケースもある。

サーカスに入団できたノミは、不採用になった同胞よりはるかに寿命が長かった。ノミの平均寿命がわずか八週間から十二週間なのに対して、ヴィクトリア朝時代のサーカスのノミは、十一ヵ月も生きたと伝えられている。むろん、あるノミの調教師が指摘したように、過労のために、あるいは囚われの身となることを受け入れない「誇り高き精神」によって、もっと早く死ぬ者もいた。[74]

記録上の最初のノミのサーカスは、一八一二年、ドイツのシュトゥットガルトでハインリッヒ・デゲラーがサーカスの客に見せた余興だった。それから二十世紀初頭にいたるまで、ノミのサーカスは人気の高いサイドショーでありつづけ、サイドショーの主催者のほとんどは生きたノミを雇いつづけた。だが、時代とともに衛生管理法が向上すると、曲芸師として採用できるほどたくさんのノミがいなくなり、しまいには、ノミのサーカス団なのに、電気や磁石など、ノミ以外の手段を利用して小さな車をリング上に走らせる興行主も現れた。このことが大きな理由となって、現代人の圧倒的多数は、十九世紀のノミのサーカスは所詮ペテンだったのだろうと思っている。

訳者あとがき

十八、十九世紀の人と動物とのさまざまな関わりを絵画やイラストレーションとともに楽しめるエピソード集、『ナポレオンを咬んだパグ、死を嘆く猫』（*The Pug Who Bit Napoleon : Animal Tales of 18 & 19 Centries*, 2017）をお届けする。

著者のミミ・マシューズは、ヒストリカル・ロマンス、とくにヴィクトリア朝時代のロマンス小説を数多く手掛け、高く評価されているアメリカの作家で、ノンフィクションの著作では本書のほかに、*A Vicitorian Lady's Guide to Fashion and Beauty*（2018）を上梓しており、こちらは歴史の教材としても高校や大学で使用されている。カリフォルニアで一緒に暮らす家族のなかには、引退した調教馬や、シェットランド・シープドッグ、シャム猫二匹もふくまれていると聞く。

こんな著者のプロフィールを予備知識として頭に入れてから、原書を読みはじめてほどなく、まず目に留まった言葉がある。〝コンパニオン companion〟。人と暮らしをともにする〝伴侶〟としてのペットを意味するこの言葉は、〝コンパニオン・アニマル〟や〝コンパニオン・ドッグ〟のように、そのまま日本語としてもつかわれているけれど、そこでふと思い出したのが、ヴィクトリア朝時代やその少しまえのいわゆる摂政時代《リージェンシー》（ジョージ四世が皇太子だった一七九〇年代頃から国王としての執政が終わる一八三〇年までを広く指す）を舞台としたロマンス小説でときおり見かける〝コンパニオン〟という役割の女性の存在だ。

　彼女たちは、上流階級の未婚女性や未亡人などの自宅に住みこんで、話し相手となったり、客のもてなしを手伝ったりするのを役目としていた。住まいを提供されて手当も受けているから、厳密には主人と雇用関係にあるのだが、家政婦やメイドや家庭教師のような使用人の立場とは明確に一線を画し、主人にしてみれば友人よりも家族よりも、安心して心をさらけだすことのできる相手だった。孤独なアレキサンダー・ポープにとってのバウンス、そして、内に情熱を秘めたエミリー・ブロンテにとってのキーパーは、まさにその意味でのコンパニオン役を果たしていたのではないだろうか。

　もちろん、本書に登場する動物は家庭で飼えるペットばかりではない。ペットの王者たる犬を筆頭に、猫、馬、ウサギ、鳥、爬虫類……果てはノミと、文字どおり多種多様な面々が勢揃いしている。世紀の殺人事件の捜査に駆り出された犬もいれば、見世物にされた野良猫もいる。ロンドンの街頭を堂々と散歩する山羊も、戦場に連れていかれたニワトリも、亡き妻に操《みさお》を立てたコクチョウも、テムズ川に現れた鰐もいる。それらの動物と関わる人間たちも、ヨーロッパの王侯貴族に始まり、著名な詩人や作家、市井の人にいたるまで多彩な顔ぶれである。

　書籍、新聞、雑誌、手紙、日記の記述が丁寧に引用されたエピソードを追いながら、歴史的な出来事の背景を知ったり、時代の空気を感じ取ったりできるのも本書の大きな魅力だ。一八〇〇年代前半あたりまでのエピソードに登場するのは爵位やりっぱな肩書きをもつ人物が多いが、時代をくだるにつれてがぜん庶民の話が増え、猫好き婦人が訴えられた訴訟や、猫の葬儀にまつわる騒動のエピソードからは、当時の庶民のたくましさが伝わってくる。それにしても、まさかペットの葬儀のための黒枠付きの案内状まであったとは……。ヴィクトリア朝全盛期から末期に焦点があてられた最終章のノミのサーカスには、たくましさを超えた、いかがわしさ、うさん臭さ満載の異色のおもしろさが詰まっていて、ヴィクトリア朝時代の専門家といっていい著者の筆の冴えがひときわ感じられる。

ただ、その最終章を読み終わったあとは、なぜかバイロン卿やアルバート公のノーブルな伴侶犬の佇まいをもう一度眺めたくなる。おそらくこのへんも著者の構成・演出の妙なのだろう。自分の興味をそそる物語を〝書きながらわくわくした〟とマシューズは「はじめに」で語っているが、訳者も〝訳しながらわくわくした〟ことをお伝えしておきたい。だれよりも読者にわくわくしていただけることを願っている。エピソードは全部で二十七。どの話が心に響くかは読む人ひとりひとりできっとちがうはずだ。

本書の訳了からさほど日が経たぬ九月八日、エリザベス二世死去のニュースが全世界を駆けめぐった。享年九十六、在位期間はヴィクトリア女王の六十四年より長い七十年。十八日、ウェストミンスター寺院で葬儀が営まれたあと、埋葬式がおこなわれるウィンザー城に到着した女王の柩を愛犬のコーギー二匹（ミュイックとサンディ）が迎えていた。その少し手前には女王のヘッドスカーフを鞍に掛けた愛馬（ポニーのエマ）の姿もあり、本書に登場する、主人の死を嘆き悲しむ動物たちや葬列の先頭に立つ犬たちの姿に重なる光景を期せずして目にすることになった。

多くの書籍からの引用や美術作品の詳細情報をふくむ本書の訳出は、訳者ひとりで為しえたことではなく、本書のタイトルにちなんで〝パグ〟チームと名づけた協力者との共同作業のたまものだった。小澤千晶さん、風早仁美さん、肱岡千泰さん、山内沙里さん、和光環さん、みなさんとともに進めた作業はほんとうに楽しく充実した時間でした。最後にあらためてお礼を言わせてください。

二〇二二年十月

原　注

1. Breton, Guy (1965). *Napoleon and his Ladies*. New York: Coward-McCann Inc., p. 32.
2. Levy, Arthur (1894). *The Private Life of Napoleon. Vol. I*. New York: Scribner and Sons, p. 190.
3. Hall, Henry Foljambe (1901). *Napoleon's Letters to Josephine: 1796–1812*.London: J. M. Dent & Co., p. 15.
4. McLynn, Frank (1997). *Napoleon: A Biography*. New York: Arcade Publishing, p.156.
5. Spence, Joseph. (1820). *Observations, Anecdotes, and Characters of Books and Men*. London: John Murray, p. 38.
6. Twiss, Horace (1844). *The Public and Private Life of Lord Chancellor Eldon, Vol. III*. London: John Murray, p. 272.
7. Ibid., p. 272–273.
8. Ibid., p. 273.
9. Gaskell, Elizabeth (1857). *The Life of Charlotte Brontë, Vol. I*. London: Smith, Elder, and Co., p. 309.
10. Robinson, Agnes Mary Frances (1883). *Emily Brontë*. London: W. H. Allen, p. 108.
11. Gaskell, Vol. I, p. 309.
12. Ibid.
13. *Littell's Living Age, Vol*. XIX (1857). Boston: Littell, Son and Co., p. 410.
14. Gaskell, p. 310.
15. *The Bookman, Vol. XI* (1898). New York: Dodd, Mead, & Co., p. 18. This account was originally printed in the *Free Lance*, 1868 and then reprinted in the Manchester City News, 28 December 1896.
16. *The Strand Magazine: An Illustrated Monthly, Vol. XLIII* (1912). London: George Newnes Ltd., p. 691.
17. Merrill, Arthur Lawrence (1901). *Life and Times of Queen Victoria: Containing a Full Account of the Most Illustrious Reign of Any Sovereign in the History of the World*. Philadelphia: World Bible House, p. 270.
18. *Bedfordshire Times and Independent* (Bedfordshire, England), 5 July 1860; p. 1. ©The British Library Board.
19. *The Dog Fancier, Vols. 28–28* (Battle Creek: U.S.A.), January 1918; p. 19.
20. *Yorkshire Post and Leeds Intelligencer* (West Yorkshire, England), 10 October 1888; p. 5. ©The British Library Board.
21. Ibid.
22. Ibid.
23. *Hull Daily Mail* (East Riding of Yorkshire, England), 13 November 1888; p. 3. ©The British Library Board.
24. *Some Scarborough Faces, Past and Present* (1901). Scarborough: Scarborough Gazette Printing and Publishing, p. 237.
25. Knox, Thomas Wallace (1887). *Dog Stories and Dog Lore*. New York: Cassell & Co., p. 122.
26. *Northern Whig* (Antrim, Northern Ireland). 28 December 1858; p. 4. ©The British Library Board.
27. *Leeds Times* (West Yorkshire, England). 12 March 1887; p. 6. ©The British Library Board.

28. Stephen, Leslie (1878). *Samuel Johnson*. New York: Harper & Brothers Publishers, p. 149.
29. Piozzi, Hester Lynch (1788). *Letters to and from the late Samuel Johnson, LL.D*, Vol. II. London: A. Strahan and T. Cadell, p. 328.
30. Stephen, Leslie, p. 149.
31. Boswell, James (1791). *The Life of Samuel Johnson*. London: J. M. Dent & Sons, p. 392.
32. *Pearson's Magazine*, Vol. 5 (1898). London: C. Arthur Pearson Ltd., p. 526.
33. *Harper's Weekly*, Vol. 15 (1871). New York: Living History Incorporated, p. 772.
34. Weir, Harrison William (1889). *Our Cats and All About Them. Cambridge*: The Riverside Press, p. 4.
35. *Chatterbox* (1872). London: W. W. Gardner, p. 386.
36. Ibid.
37. *Aberdeen Press and Journal* (Aberdeenshire, Scotland), 29 September 1886; p. 6. ©The British Library Board.
38. *Birmingham Daily Post* (West Midlands, England), 27 September 1886; p. 5. ©The British Library Board.
39. Boyle, Frederick (1879). *Memoirs of Thomas Dodd, William Upcott, and George Stubbs, R.A.* Liverpool: Joseph Mayer, p 31.
40. Ibid.
41. Ibid.
42. *Edinburgh Evening Courant* (Midlothian, Scotland), 2 August 1828; p. 2. ©The British Library Board.
43. *London Evening Standard* (London, England), 20 July 1828; p. 2.©The British Library Board.
44. *Edinburgh Evening Courant*, p. 2.
45. *Morning Chronicle* (London, England). 16 August 1828; p. 3. ©The British Library Board.
46. *North Devon Gazette* (Devon, England), 4 March 1856; p. 4.©The British Library Board.
47. Ibid.
48. *Dunstable Chronicle, and Advertiser for Beds, Bucks & Herts.* (Bedfordshire, England), 1 March 1856; p. 4. ©The British Library Board.
49. *St. James's Gazette* (London, England), 1 September 1890; p.7. ©The British Library Board.
50. *Belfast News-Letter* (Antrim, Northern Ireland), 28 August 1894; p. 6. ©The British Library Board.
51. *The Cornhill Magazine, Vol. X* (1864). London: Smith, Elder, & Co., p. 177.
52. *The Gardens and Menagerie of the Zoological Society Delineated, Vol. 2* (1831). Chiswick: John Sharpe, p. 45.
53. Delano, Amasa (1817). *A Narrative of Voyages and Travels in the Northern and Southern Hemispheres*. Boston: E. G. House, p. 442.
54. *The Magazine of Natural History and Journal of Zoology, Botany, Mineralogy, Geology, and Meteorology, Vol. VI* (1833). London: Longman, Rees, Orme, Brown, Green, and Longman, p. 140.
55. *The Portfolio, Vol. IV* (1825). London: William Charlton Wright, p. 162.
56. *The Minerva, Or: Literary, Entertaining, and Scientific Journal, Vol. 1* (1824). New York: J. Seymour Press, p. 364.
57. Keim, Albert and Louis Lumet (1914). *Charles Dickens*. New York: Frederick A. Stokes Company, p. 128.
58. Forster, John (1872). *The Life of Charles Dickens, Vol. I*. London: Chapman & Hall, p. 211.
59. Dickens, Charles (1849). *Barnaby Rudge: A Tale of the Riots of 'Eighty*. London:

Chapman and Hall, p. i.
60. Ibid., p. ii.
61. Ibid., p. i.
62. *Whitby Gazette*, (North Yorkshire, England), 16 August 1879; p. 2. ©The British Library Board.
63. Burns, Robert (1859). *The Poetical Works and Letters of Robert Burns*. Edinburgh: Gall & Inglis, p. ix.
64. Chambers, Robert (1856). *The Life and Works of Robert Burns, Vol. II.* Edinburgh: W. R. Chambers, p. 147.
65. Burns, p. ix.
66. *The Literary Gazette and Journal of Belles Lettres, Arts, Sciences, no. 102–153* (1819). London: H. Colburn, p. 252.
67. *Pall Mall Gazette* (London, England), 16 January 1895; p. 3. ©The British Library Board.
68. *Manchester Courier and Lancashire General Advertiser* (Greater Manchester, England), 25 April 1885; p. 9. ©The British Library Board.
69. Birch, George Henry (1903). *London on Thames in Bygone Days.* London: Seeley & Co., p. 87.
70. *Kendal Mercury* (Cumbria, England), 23 April 1870; p. 3. ©The British Library Board.
71. *Ballymena Observer* (Antrim, Northern Ireland), 3 September 1887; p. 9. ©The British Library Board.
72. *Gloucester Citizen* (Gloucestershire, England), 26 August 1887; p. 3.©The British Library Board.
73. Frikell, Wiljalba (1876). *Magic No Mystery.* London: J. Ogden and Co., p. 328.
74. Ibid., p. 329.

図　版

p.13　Louis Michael van Loo（1701-71、フランス）。*Princess Ekaterina Dmitrievna Golitsyna.* 油彩、キャンバス。プーシキン美術館（モスクワ）。Bridgeman Images.

p.16　Conradijn Cunaeus（1828-95、オランダ）。*Portrait of Pug Edwin vom Rath.* 鉛筆、水彩、紙。アムステルダム国立美術館。JWE・フォム＝ラート氏より遺贈。

p.17　Jean-Baptiste Regnault（1754-1829、フランス）。*Empress Josephine of France.* 油彩、キャンバス。スウェーデン国立美術館（ストックホルム）。

p.19　Jacques-Louis David（1748-1825、フランス）。*The Emperor Napoleon in His Study at the Tuileries.* 油彩、キャンバス。ワシントン・ナショナル・ギャラリー。

p.24　James Tissot（1836-1902、フランス）。*Young Woman in a Boat, or Reflections.* 油彩、キャンバス。個人蔵。Bridgeman Images.

p.25　Thomas Gainsborough（1727-88、イギリス）。*Spitz Dog.* 油彩、キャンバス。イェール大学英国美術研究センター、ポール・メロン・コレクション。

p.26　George Stubbs（1724-1806、イギリス）。*Brown and White Norfolk or Water Spaniel.* 油彩、木製パネル。イェール大学英国美術研究センター、ポール・メロン・コレクション。

p.29　Jonathan Richardson（1665-1745、イギリス）。*Alexander Pope and His Dog, Bounce.* 油彩、キャンバス。個人蔵。Bridgeman Images.

p.30　Jonathan Richardson（1665-1745、イギリス）。*Alexander Pope.* 油彩、キャンバス。イェール大学英国美術研究センター、ポール・メロン・コレクション。

p.38　Joseph Nickolls（活動期間1713-55年頃、イギリス）。*Pope's Villa, Twickenham.* 油彩、キャンバス。イェール大学英国美術研究センター、ポール・メロン・コレクション。

p.40　George Stubbs（1724-1806、イギリス）。*White Poodle in a Punt.* 油彩、キャンバス。ワシントン・ナショナル・ギャラリー。

p.40　James Ward（1769-1859、イギリス）。*Rough-Coated Collie.* 油彩、板。イェール大学英国美術研究センター、ポール・メロン・コレクション。

p.43　Sir Edwin Henry Landseer（1802-73、イギリス）。*A Spaniel Lying Down.* 油彩、木製パネル。イエール大学英国美術研究センター、ポール・メロン・コレクション。

p.44　Louis Roucel（活動期間 1756–84年頃、1787年没、フランス）、Isaac Gosset（1713-99、イギリス）。Madame du Deffand's Snuff Box with Portrait of Tonton. 真鍮、銀めっき、蜜蠟。イェール大学ルイス・ウォルポール図書館。

p.45　Allan Ramsay（1713-84、スコットランド）。*Portrait of Horace Walpole.* 油彩、キャンバス。イェール大学ルイス・ウォルポール図書館。

p.47　Johann Heinrich Müntz（1727–98、スイ

ス)。*Portrait of Horace Walpole in his Library.* ペン、インク、紙。イェール大学ルイス・ウォルポール図書館。

p.50 Clifton Thomson(1775-1828、イギリス)。*Portrait of Lord Byron's Dog Boatswain.* 油彩、キャンバス。ノッティンガム市ミュージアムズ・アンド・ギャラリーズ。

p.52 作者不詳。*Lord Byron.* 鋼版画、紙。

p.55 Louis Haghe(1806-85、ベルギー)の版画。原画はMoses Webster(1792-1870、イギリス)。*Newstead Abbey, The Seat of the Late Lord Byron.* リトグラフ、紙。イェール大学英国美術研究センター、ポール・メロン・コレクション。

p.60 Harry Arthur Powell(1877-没年不詳)。*Boatswain's Grave.* インク、紙。ノッティンガム市ミュージアムズ・アンド・ギャラリーズ。

p.61 John Ferneley(1782-1860、イギリス)。*A Dandie Dinmont Terrier.* 油彩、キャンバス。イェール大学英国美術研究センター、ポール・メロン・コレクション。

p.62 Charles Hancock (1802–77、イギリス) 。*Two Greyhounds in a Landscape.* 油彩、キャンバス。イェール大学英国美術研究センター、ポール・メロン・コレクション。

p.64 Sir Edwin Henry Landseer(1802-73、イギリス)。*Eos.* 油彩、キャンバス。ロイヤル・コレクション・トラスト。©Her Majesty Queen Elizabeth II, 2016/Bridgeman Images.

p.65 Bradshaw & Blacklock(1850年頃に活動、イギリス)の版画。原画はGeorge Baxter(1804-67、イギリス)。*Prince Albert.* アクアチント、点刻法、エッチング、木版を組み合わせた彩色版画、紙。イェール大学英国美術研究センター、ポール・メロン・コレクション。

p.69 Sir Edwin Henry Landseer(1802-73、イギリス)。*Victoria, Princess Royal, with Eos.* 油彩、キャンバス。ロイヤル・コレクション・トラスト。© Her Majesty Queen Elizabeth II, 2016/Bridgeman Images.

p.70 Sir Edwin Henry Landseer(1802-73、イギリス)。*Hector, Nero and Dash with the parrot, Lory.* 油彩、キャンバス。ロイヤル・コレクション・トラスト。©Her Majesty Queen Elizabeth II, 2016/Bridgeman Images.

p.77 Emily Brontë(1818-48、イギリス)。*Keeper – from life.* 水彩、紙。© Brontë Society

p.79 Patrick Branwell Brontë(1817-48、イギリス)。*The Brontë Sisters, Anne Brontë; Emily Brontë; Charlotte Brontë.* 油彩、キャンバス。© National Portrait Gallery, London.

p.81 匿名画家によるFranz Xaver Winterhalter(1805-73、ドイツ)の模写。*Queen Victoria.* 油彩、キャンバス。ワシントン・ナショナル・ギャラリー。

p.85 Friedrich Wilhelm Keyl(1823-71、ドイツ)。*Looty.* 油彩、キャンバス。ロイヤル・コレクション・トラスト。©Her Majesty Queen Elizabeth II, 2016/Bridgeman Images.

p.86 Pierre-Auguste Renoir(1841-1919、フランス)。*Head of a Dog.* 油彩、キャンバス。ワシントン・ナショナル・ギャラリー。

p.86 Edouard Manet(1832-83、フランス)。*A King Charles Spaniel.* 油彩、麻。ワシントン・ナ

ショナル・ギャラリー。

p.89 版画作者不詳。原画はSir Edwin Henry Landseer（1802-73、イギリス）。*A Bloodhound with a Heavy Collar.* 鋼版画、紙。ウェルカム図書館（ロンドン）。Creative Commons Attribution 4.0 International Public License.

p.91 作者不詳。*Sir Charles Warren's new criminal trackers: Mr. Brough's bloodhounds being trained.* 1888年の『Penny Illustrated Paper』の挿絵。版画、紙。個人蔵。©Look and Learn/Peter Jackson Collection/Bridgeman Images.

p.95 Emily Mary Osborne（1828-1925、イギリス）。*For the Last Time.* 油彩、キャンバス。個人蔵。Bridgeman Images.

p.97 James Archer（1860-70年頃に活動、イギリス）。*Dog Mourning Its Little Master.* 油彩、キャンバス。© City of Edinburgh Museums and Art Galleries, Scotland/Bridgeman Images.

p.99 作者不詳。*Greyfriars Bobby.* 写真。スコットランド国立肖像画美術館。1985年ピーター・フレッチャー・リデルを偲びリデル夫人より寄贈。

p.103 Sir Edwin Henry Landseer（1802-73、イギリス）。*The Old Shepherd's Chief Mourner.* 油彩、木製パネル。ヴィクトリア&アルバート博物館。Bridgeman Images.

p.105 Jean-Baptiste Perroneau（1715-83、フランス）。*Magdaleine Pinceloup de la Grange, née de Parseval.* 油彩、キャンバス。ゲティ美術館オープンコンテンツプログラム。

p.109 William Doughty（生年不詳-1782、イギリス）による版画。原画はSir Joshua Reynolds（1723-92、イギリス）作。*Samuel Johnson.* メゾチント、紙。ワシントン・ナショナル・ギャラリー。

p.109 John Jones（1745-97年頃、イギリス）による版画。原画はSir Joshua Reynolds（1723-92、イギリス）作。*James Boswell of Auchinleck, Esq..* メゾチント、紙。イェール大学英国美術研究センター、ポール・メロン基金。

p.112 Henriëtte Ronner-Knip（1821-1909、オランダ）。*Kitten's Game.* 油彩、木製パネル。アムステルダム国立美術館。ヴェスター・JBAM・ヴァウト氏（ハールレム）より遺贈。

p.113 Rosa Bonheur（1822-99、フランス）。*Wild Cat.* 油彩、キャンバス。スウェーデン国立美術館（ストックホルム）。

p.115 作者不詳。*Cat Head Drawing Advertisement for the Crystal Palace Cat Show.* Harrison William Wier著『*Our Cats and All About Them*』の挿絵。

p.116 E. J. Stanley（1850年頃に活動、国籍不詳）。*The Crystal Palace in Hyde Park.* 水彩、グワッシュ、チョーク、グラファイト、紙。イェール大学英国美術研究センター、ポール・メロン・コレクション。

p.117 作者不詳。*Cat Show at the Crystal Palace.* 1871年7月22日付《*Penny Illustrated Paper*》の挿絵。©The British Library Board. All rights reserved. 英国新聞アーカイヴの厚意により転載。

p.119 Horace Downey Harral（1817-1905、イギリス）による版画。原画はPercy Macquoid

(1852-1925、イギリス)作。*Prize Cats.* 1871年7月22日付《*The Graphic*》の挿絵。 英国新聞アーカイヴ。

p.122 *Show for Cats at the Crystal Palace.* 1872年5月18日付《*Penny Illustrated Paper*》の挿絵。 英国新聞アーカイヴ。

p.124 Pierre-Auguste Renoir(1841-1919、フランス)。*Woman with a Cat.* 油彩、キャンバス。ワシントン・ナショナル・ギャラリー。

p.125 Henriëtte Ronner-Knip(1821-1909、オランダ)。*The Musicians.* 水彩、鉛筆、紙。アムステルダム国立美術館。P. A.ヴァン・デン・フェルデン氏(ハーグ)より遺贈。

p.128 G.T.W.(詳細不詳)による版画。Orlando Hodgson(1820-40年頃に活動、イギリス)により出版。*A Maiden Lady and her Family.* リトグラフ、水彩、紙。イェール大学英国美術研究センター、ポール・メロン・コレクション。

p.131 作者不詳。*Extraordinary Collection of Cats.* 1867年6月1日付《*Illustrated Police News*》の挿絵。 英国新聞アーカイヴ。

p.136 Bruno Liljefors(1860-1939、スウェーデン)。*Cat on a Flowery Meadow.* 油彩、キャンバス。スウェーデン国立美術館(ストックホルム)。

p.137 Elisabeth Fearn Bonsall(1861-1956、アメリカ)。*Hot Milk.* 油彩、キャンバス。ペンシルベニア美術アカデミー(フィラデルフィア)。ジョセフ・E・テンプル基金。

p.141 John Pettit(生没年不詳、イギリス)の版画。原画はFrederick George Byron(1764-92、イギリス)。*Old Maids at a Cats Funeral.* エッチング、点描、水彩、紙。ウェルカム図書館(ロンドン)。

p.145 George Stubbs(1724-1806、イギリス)。*Whistlejacket.* 油彩、キャンバス。ロンドン・ナショナル・ギャラリー。Bridgeman Images.

p.148 George Stubbs(1724-1806、イギリス)。*Self-Portrait.* 油彩、銅板。イェール大学英国美術研究センター、ポール・メロン基金。

p.151 George Stubbs(1724-1806、イギリス)。*Pumpkin with a Stable-lad.* 油彩、木製パネル。イェール大学英国美術研究センター、ポール・メロン・コレクション。

p.152 George Stubbs(1724-1806、イギリス)。*Phaeton with a Pair of Cream ponies and a Stable-Lad.* 油彩、木製パネル。イェール大学英国美術研究センター、ポール・メロン・コレクション。

p.155 Sawrey Gilpin(1733-1807、イギリス)。*Two Shetland Ponies With a Groom.* 油彩、水彩、グワッシュ、インクペン、紙。イェール大学英国美術研究センター、ポール・メロン・コレクション。

p.159 作者不詳。*A Balloon Ascent near Greenwich Hospital.* 水彩、ペン、インク、紙。イェール大学英国美術研究センター、ポール・メロン・コレクション。

p.160 Sir Edwin Henry Landseer(1802-73、イギリス)。*Favourites, the Property of H.R.H. Prince George of Cambridge.* 油彩、キャンバ

ス。イェール大学英国美術研究センター、ポール・メロン・コレクション。

p.161 Thomas Woodward(1801-52、イギリス)。*Grey Shooting Pony, Probably the Property of Johnston King, with a Groom.* 油彩、キャンバス。イェール大学英国美術研究センター、ポール・メロン・コレクション。

p.163 John Ferneley(1782-1860、イギリス)。*Miss Catherine Herrick with her Nieces and Nephews, the Five Elder Children of the Rev. and Mrs. Henry Palmer.* 油彩、キャンバス。イェール大学英国美術研究センター、ポール・メロン・コレクション。

p.165 作者不詳。*A Costermonger and his Donkey before Derby Day.*《*Punch*》Vol. XL(1861年)の挿絵。

p.169 John Frederick Herring(1795-1865、イギリス)。*Exercising the Royal Horses.* 油彩、キャンバス。イェール大学英国美術研究センター、リーヴ&エリザベス・ボイス・シュリー夫妻より寄贈。

p.170 John Ferneley(1782-1860、イギリス)。*William Massey-Stanley driving his Cabriolet in Hyde Park.* 油彩、キャンバス。イェール大学英国美術研究センター、ポール・メロン・コレクション。

p.172 Richard Harding Davis(1864-1916、アメリカ)著『The Great Streets of the World』の挿絵。

p.175 Thomas Gainsborough(1727-88、イギリス)。*Study of a Goat.* チョーク、紙。イェール大学英国美術研究センター、ポール・メロン・コレクション。

p.177 作者不詳。*Blue & Yellow Maccaw.* 水彩、ペン、インク、グラファイト、クレヨン、グワッシュ、紙。イェール大学英国美術研究センター。ドナルド・C・ギャラップ氏(1934年イェール学士)より寄贈。

p.181 Rosalba Giovanna Carriera (1675-1757、イタリア)。*Girl holding a monkey.* パステル、紙。ルーブル美術館 ©MEPL/Bridgeman Images.

p.184 作者不詳。*Last Residence of Napoleon at Malmaison.* エングレービング、紙。

p.188 H. L. Meyer (1797-1865、イギリス)。*Black Swan.*『Illustration of British Birds and Their Eggs』Vol.VI.より。

p.189 John Gould(1804-81、イギリス)。*Corvus Corax – Raven.* リトグラフ、紙。ブルックリン美術館、エミリー・ウィンスロップ・マイルズ財団寄贈。

p.193 作者不詳。*Grip, the Late Charles Dickens' pet raven.* エングレービング、紙。個人蔵。©Look and Learn/Bernard Platman Antiquarian Collection/Bridgeman Images.

p.194 作者不詳。*Charles Dickens.* Evert Augustus Duyckinck著『Portrait Gallery of Eminent Men and Women of Europe and America』Vol. II.

p.195 H. L. Meyer(1797-1865、イギリス)、*Raven, Corvus Corax.* Simpkin Marshall and Co.刊行『Illustrations of British Birds and Their Eggs, Vol. III』

p.198 Mary Smith (1842-78、アメリカ)、*Picking Cherries.* 油彩、キャンバス。ラッセル・スミス氏より寄贈。ペンシルベニア美術ア

カデミー（フィラデルフィア）。

p.202 Alfred W. Cooper (1850-1901年頃に活動、イギリス)。*The Farmyard.* 木版画、手彩色、紙。イェール大学英国美術研究センター、ポール・メロン・コレクション。

p.203 絵付師の詳細不詳（19世紀）。原画はPhilip Reinagle（1749-1833、イギリス）。*Two Hares: On a Hillside.* エナメル、磁器。イェール大学英国美術研究センター、ポール・メロン・コレクション。

p.204 John James Audubon（1785-1851、アメリカ）。*White-Footed Mouse.* リトグラフ、紙。ブルックリン美術館、エミリー・ウィンスロップ・マイルズ財団寄贈。

p.206 Samuel Cousins（1801-87、イギリス）とWilliam Walker（1791-1867、イギリス）による版画。原画はAlexander Nasmyth（1758-1840、イギリス）作。*Robert Burns.* メゾチント、紙。イェール大学英国美術研究センター、ポール・メロン・コレクション。

p.214 John Hoppner（1758-1810、イギリス）。*Girl with a Rabbit.* 油彩、キャンバス。シュテーデル美術館（フランクフルト）。ARTOTHEK.

p.219 Winslow Homer（1836-1910、アメリカ）。*Sharks; also The Derelict.* 水彩、グラファイト、紙。ブルックリン美術館、ヘレン・バボット・サンダース財団寄贈。

p.222 John Varley（1778-1842、イギリス）。*A View along the Thames towards Chelsea Old Church.* 油彩、キャンバス。イェール大学英国美術研究センター、ポール・メロン・コレクション。

p.226 Jonathan Couch（1789-1870、イギリス）。*Porbeagle Shark.*『A history of the fishes of the British Islands』の挿絵。

p.230 Thomas Kelly（生没年および国籍不詳）。*The Alligator in the Gardens of the Zoological Society of London.* エッチング、水彩、紙。ウェルカム図書館（ロンドン）。Creative Commons Attribution 4.0 International Public License.

p.233 作者不詳。*Chased by an Alligator.* Louis Figuier著『Reptiles and Birds: A Popular Account of Their Various Orders, with a Description of the Habits and Economy of the Most Interesting』の挿絵。

p.235 Jacques-Laurent Agasse（1767-1849、スイス）。*Study of a Fox.* 油彩、紙、板。イェール大学英国美術研究センター、ポール・メロン・コレクション。

p.238 Henry Meyer（1782-1847年頃、イギリス）。*Charles Lennox, 4th Duke of Richmond.* メゾチント、紙。Photo©Museum Associates/LACMA.

p.245 作者不詳。The Go-As-You-Please Race.《St. Nicholas Illustrated Magazine》Vol.26の挿絵。

p.247 作者不詳。*Professor Likonti's Roumanian Flea Circus.*《Strand Magazine》の広告。

p.248 作者不詳。*Signor Pulex Irritanci on the Tight-Rope.*《St. Nicholas Illustrated Magazine》Vol.26の挿絵。

著者　ミミ・マシューズ Mimi Matthews

アメリカの作家。法律家。歴史ノンフィクション及びヴィクトリア時代のロマンス小説を執筆。ノンフィクションでは19世紀を中心に、動物、芸術、エチケットとファッション、美容、フェミニズム、法律など様々なテーマで執筆。家族（引退した調教馬、シェットランド・シープドッグ、シャム猫2匹を含む）とともにカリフォルニア在住。

訳者　川副智子（かわぞえともこ）

早稲田大学文学部卒業。翻訳家。『母を燃やす』『ダッハウの仕立て師』『わたしのなかのあなた』(以上早川書房)、『SMALL GREAT THINGS 小さくても偉大なこと』(ポプラ社)、『掘り出し物には理由がある アンティーク雑貨探偵〈1〉(コージーブックス)』『図説人魚の文化史』共訳(以上原書房)、『西太后秘録』(講談社)、『紙の世界史』(徳間書店)ほか、訳書多数。

ナポレオンを咬《か》んだパグ、死《し》を嘆《なげ》く猫《ねこ》
絵《え》で見《み》る人《ひと》と動物《どうぶつ》の歴史物語《れきしものがたり》

2022年12月11日　第1刷

著者……………ミミ・マシューズ
訳者……………川副智子《かわぞえともこ》
翻訳協力…………小澤千晶・風早仁美・肱岡千泰・山内紗里・和光環
ブックデザイン……永井亜矢子（陽々舎）
カバー……………*Princess Ekaterina Dmitrievna Golitsyna*（Bridgeman Images）
発行者……………成瀬雅人
発行所……………株式会社原書房
〒160-0022 東京都新宿区新宿1-25-13
電話・代表　03(3354)0685
http://www.harashobo.co.jp/
振替・00150-6-151594
印刷……………シナノ印刷株式会社
製本……………東京美術紙工協業組合

ISBN 978-4-562-07227-9 Printed in Japan